25/7/2013.

ON NE MEURT QU'UNE FOIS
ET C'EST POUR SI LONGTEMPS

DU MÊME AUTEUR

Urgences, si vous saviez : Chroniques du Samu,
Le Cherche-Midi, Paris, 2012

Histoire d'urgences, volume 2,
Le Cherche-Midi, Paris, 2010

Urgences pour l'hôpital, Le Cherche-Midi, Paris, 2008

J'aime pas la retraite, Hoëbeke, Paris, 2008

Histoire d'urgences, Le Cherche-Midi, Paris, 2007

Urgentistes, Fayard, 2004

PATRICK PELLOUX

ON NE MEURT QU'UNE FOIS ET C'EST POUR SI LONGTEMPS

Les derniers jours des grands hommes

ROBERT LAFFONT

© Éditions Robert Laffont, S.A., Paris, 2013
ISBN 978-2-221-13374-3

PRÉAMBULE AUX CÉRÉMONIES...

Tout a commencé il y a une poignée d'années. J'usais mes jeans sur les bancs de la faculté de médecine de la rue des Saints-Pères, dans les grands amphithéâtres des Cordeliers et les vieux bâtiments de Jussieu. À cette époque, qui semble aujourd'hui d'un autre monde et d'un autre siècle, j'écrivais tout sur du papier, avec un crayon, sans ordinateur, ni téléphone portable, ni Internet... Des professeurs de médecine donnaient, pour certains, des cours brillants, théâtraux, merveilleusement pédagogiques. Pendant ces cours, quelques-uns glissaient des anecdotes sur les pathologies de malades, de gens célèbres... Je griffonnais ces histoires sur un coin de mes cahiers, j'en rêvais, j'y pensais. Parfois, en sortant de l'hôpital Tenon, je redescendais jusqu'à chez moi, avenue Ledru-Rollin, en passant par le Père-Lachaise. Toutes ces tombes de cadavres couchés sous terre et moi debout, marchant, profitant de la vie comme eux au temps jadis, dont il ne reste que quelques livres, idées, peintures, dessins, pièces de théâtre...

Le temps a passé, mais les idées perdurent comme des boîtes qui se rouvrent sous un quelconque prétexte fugace. Un jour de déménagement, un carton est tombé et un cahier est réapparu avec mes notes sur les morts de Balzac, Voltaire, Flaubert... Pourquoi ne pas les raconter ? Un été, dans *Charlie Hebdo*, il y avait un peu de place. J'ai proposé à Charb ce projet de raconter l'agonie, la fin de vie. Expliquer le contexte politique, économique, culturel, et retracer la physiopathologie de ces illustres mourants. Il a accepté tout de suite et Luz en a fait les illustrations. Il a fallu beaucoup de temps et de travail passionnant. Lire et relire des articles, recouper les témoignages. Une fois de plus, « Vive les bibliothèques et les livres ! ». Les informations sur Internet, en particulier sur certains sites qui usurpent les mots des encyclopédies, sont truffées d'erreurs. Je rends hommage ici au travail des conservateurs, et plus particulièrement à ceux la bibliothèque de Beaubourg et de la Bibliothèque nationale de France François-Mitterrand, pour le confort de leur accueil et la qualité de leurs livres.

Il faut bien rire de la mort qui se moque bien de nous enlever la vie. Souvenez-vous de ce dessin magnifique de Gotlib : un type est mourant, la Faucheuse arrive et il se moque d'elle, il hurle de rire en la montrant ! La mort en devient ridicule et elle s'en va, laissant l'homme sur son lit et vivant. Qu'est-ce qui fera radicalement la différence entre le visage de vie et le masque de mort, sinon le sourire et le rire ? Beaucoup d'autres choses, et c'est justement l'importance de ce travail. Tous ces illustres personnages, que les historiens connaissent bien mieux que moi, ont eu une mort atroce. Le pays les a fait brillants et célébrés, mais à l'heure de mourir les a laissés tomber dans la fosse comme des riens-du-tout. À côté de l'agonie, les rites, les croyances religieuses, les règlements de comptes à coups de bénitier comme pour La Fontaine ou Molière, ou un assassinat politique ou religieux comme pour Henri III et Henri IV, ou encore Zola. Le sordide des guerres aussi a été important à analyser et à replacer dans le contexte politique. Il est un peu facile de croire que les guerres sont comme une bonne super production en 3D : c'est pour cela que j'ai raconté la mort des soldats sur les champs de bataille à Waterloo ou le 6 juin 1944.

Ce livre parle beaucoup d'hommes de pouvoir, et le pouvoir a le plus souvent été pris par les hommes. Et c'est justement très intéressant de remarquer que la conquête politique des femmes et leur émancipation semblent parallèles aux progrès de l'humanité. La grandeur humaniste de Marie Curie et son parcours, l'intégration de cette immigrée sont un exemple parfait du combat des femmes.

J'ai aussi voulu faire revivre dans ces pages une somme d'histoires que nous avons tendance à oublier. Ces personnalités, je les aime pour beaucoup, je les admire pour d'autres, je les respecte pour quelques-unes et je les hais pour peu d'entre elles, mais pour de bonnes raisons ! Ce livre n'est pas un précis de philosophie – quoique la mort soit souvent à l'image de la vie de l'individu qui expire son dernier souffle...

et qui parle de la mort parle de philosophie. Il en dit beaucoup sur la manière des vivants à traiter le souvenir du mourant, une fois le trou rebouché. Ravaillac était fou, et il est mort dans une folie terrifiante. Staline est mort comme le dictateur qu'il était. Ce livre n'est pas non plus un manuel d'histoire, je n'en ai pas la prétention.

C'est un peu un livre de médecine, fait pour expliquer la mort et son pourquoi. La question de savoir comment on traiterait de nos jours les pathologies évoquées est vaine et inadaptée au récit, il s'agirait de science-fiction. Or j'ai voulu essayer d'être au plus près des derniers moments de ces grands hommes, et de leur vérité clinique remise dans le contexte des connaissances médicales de l'époque concernée. Ce livre est surtout un plaidoyer pour que la médecine reste humble face à l'Histoire. Combien de médecins ont tué leurs malades au cours des siècles ? Vous lirez entre les lignes qu'il fait bon vivre avec une médecine moderne qui s'appuie sur la science et non pas sur des croyances ésotériques et délirantes ! C'est une vulgarisation médico-psychosociale appliquée aux textes que j'ai pu retrouver. Presque tous les rois de France ont été autopsiés. Les informations que nous laissent les archives sont précieuses. Les lois ont changé et rares sont les personnalités désormais autopsiées. « L'ouverture du coffre » était un peu la façon de vérifier que le roi était bien mort, de savoir comment Dieu l'avait tué. Être roi signifiait aussi souffrir très régulièrement des purges, lavements, saignées. Grâce à ces procédés, il me semble que les médecins ont toujours voulu être proches du pouvoir, du roi, des présidents pour exercer leurs propres diktats sur la médecine et la société. C'est encore valable aujourd'hui, même si la République, grâce à la laïcité, a remis la religion entre les oreilles des croyants et plus aux quatre coins des rues du pays et des valeurs de la vie.

Ce livre est peut-être tout simplement une fiction. Où, à travers mon exercice de la médecine et à force de voir des malades mourir, des corps inertes, à force de vivre les derniers instants, j'ai imaginé ceux, et avant eux ce que fut la santé de ces personnalités. Certains ont construit leur vie sur des certitudes politiques qui les ont tués, comme Danton et Robespierre. Pour les rois, une question : leur vie leur appartenait-elle ? En tout cas, psychologiquement, leur vie n'a sûrement pas été d'une grande tranquillité.

Et leur mort ? Eh bien, à notre époque, où la fin de l'existence fait débat, où jamais nous n'avons connu une telle espérance de vie, il m'a semblé que se souvenir un peu d'où nous venons pouvait être utile dans ce pays à la mémoire politique et sociale parfois un peu courte, comme si elle était devenue une gardienne trop absente dans la cité de l'humanité. Nous souvenir, c'est aussi constater nos progrès avec optimisme.

En espérant que vous prendrez autant de plaisir à lire ces pages que j'en ai eu à les écrire, chère lectrice, cher lecteur, je vous salue bien respectueusement et avec tous mes sentiments.

JÉSUS

L'agonie en l'air

Jérusalem, an 0 de l'ère chrétienne, ou plus exactement vers l'an 30 après Jésus-Christ. Nous vous emmenons dans l'impossible de l'agonie théologique, la plus célèbre de l'histoire de l'humanité. Dans la quête de l'Homme, dans la Passion, dans les travaux des théologiens, des archéologues, des chercheurs, des philosophes, des cinéastes, de *Corpus Christi* de Gérard Mordillat et Jérôme Prieur à *La Vie de Brian* des Monty Python. Ouvrons les livres sacrés, les livres deutérocanoniques ou apocryphes, le Nouveau Testament dont l'Évangile selon saint Jean – son plus ancien manuscrit presque intégral date de 170 après J.-C., avec soixante-cinq feuillets écrits en grec et retrouvés en Égypte. Tout est très complexe dans cette agonie, et impossible d'avoir une autopsie : le corps a disparu d'une curieuse façon et serait, selon les croyances, partout ou nulle part.

A priori, Jésus est plutôt en bonne santé, malgré les infections de la tuberculose et la lèpre qui courent la région du Proche-Orient. Psychologiquement, c'est plus délicat à décrire, mais nous voici à son procès. Après une dénonciation, Jésus comparaît en effet devant Ponce Pilate, préfet romain et gouverneur de Judée.

Le chapitre XIX de l'Évangile de Jean explique la fin du procès. Seul le préfet avait le pouvoir de condamner à mort et il dit aux grands prêtres juifs : « Prenez-le et condamnez-le selon votre loi. » Ils répondirent : « Mais nous, on ne peut pas le condamner à mort et il mérite la mort. » La manière dont cela est écrit pose problème, car c'est bien un Romain qui a condamné Jésus et des prêtres juifs qui l'ont crucifié. Or le seul qui pouvait décider de tuer était le gouverneur romain, et ce détail « occulté » engendrera des millions de morts au cours des siècles entre chrétiens et juifs, car les uns accuseront les autres d'être responsables de sa mort. Le peuple juif, lui, avait sympathisé avec Jésus, mais quelques grands prêtres voulaient sa mort : sa popularité croissante de « messie » les gênait. Ils l'arrêtent au mont des Oliviers en milieu de nuit pour le crucifier. C'est une mise à mort assez courante à l'époque, avec la lapidation destinée à épuiser le condamné. La foule lance des pierres et il y en a toujours une qui va heurter la tête, provoquer un hématome intracrânien et entraîner la mort. Selon un texte juif du milieu du IIe siècle avant J.-C., la pendaison ou la crucifixion est prévue pour les hommes qui veulent livrer un membre du peuple à un autre peuple. Un siècle avant Jésus, le grand prêtre araméen Alexandre

Jannée, autoproclamé roi de Judée, crucifia huit cents juifs, en plein banquet, devant leurs femmes et enfants : « Maudit celui qui est suspendu au bois ! » Donc, pour celui qui se dit fils de Dieu, la croix sert d'exemple.

Jésus aurait suivi un chemin en portant sa croix tout en recevant des coups, des pierres et des coups de fouet, selon les textes, de la part d'une foule fanatique. Dans l'Évangile de Jean on lit : Jésus portant sa croix arriva « au lieu dit du Crâne, qui se nomme en hébreu Golgotha ». C'est là qu'il aurait été crucifié, et deux autres hommes avec lui, « l'un d'un côté et l'autre de l'autre et Jésus au milieu ». Sur sa croix, une pancarte, écrite par Pilate : « Jésus le Nazaréen, roi des Juifs » (INRI, « *Jesvs Nazarenvs, Rex Ivdæorvm* »).

La crucifixion est une mort atroce. Elle touche à la physiologie de la respiration. L'air entre dans les poumons grâce aux muscles respiratoires ; sans eux, les échanges gazeux ne se font plus et la mort arrive lentement. Or, la position sur la croix épuise les muscles. Jésus, comme tous les êtres vivants, a besoin de ses muscles pour respirer. Sur la croix, l'asphyxie est épouvantable et se produit d'autant plus vite que les muscles ne peuvent pas bouger. Le supplicié est attaché par les poignets ou cloué, mais c'était plus rare à l'époque, car les clous étaient chers. Les clous étaient plantés dans les poignets ou entre les deux os de l'avant-bras. Peu de saignements car, une fois posé, le clou comprime les artères et les très petites veines. Puis les jambes sont accrochées avec un clou enfoncé dans le calcanéum, un os du talon. On a retrouvé à Jérusalem, en 1967, un ossuaire datant de l'an 1 : dans le calcanéum d'un talon, les chercheurs ont trouvé un clou et pu identifier le bois de la croix : de l'olivier et de l'acacia. Donc toutes les fresques, peintures et statues dans les églises qui représentent Jésus avec des clous aux deux mains et dans les pieds sont invraisemblables, car il n'aurait pas pu ainsi tenir sur la croix. Vu l'épuisement musculaire, il est impossible qu'il ait pu avoir la tête levée vers le ciel. La contracture des muscles, les clous et la chaleur étouffante de cette région : la douleur était insoutenable. Les crucifiés mouraient lentement en l'air et sans air.

Jésus a été mis en croix et il est impossible de dire combien de temps il a mis à mourir. Quelqu'un qui est pendu par les mains meurt atrocement en une heure, par épuisement et suffocation, tout en restant conscient. Mais, à cette époque, les gardes, que l'on voit dans les tableaux représentant cette scène, attendaient la tombée de la nuit et, avec leur grande lance, ils coupaient les jambes des crucifiés, en cisaillant en dessous des deux genoux au niveau des tendons. De la sorte, le supplicié ne pouvait plus s'appuyer sur ses jambes et trouver un peu de repos pour ses muscles. Sans repos, tous les muscles tendus, il ne pouvait plus respirer très longtemps et il mourait vite. Les gardes ont coupé les jambes des deux types crucifiés à côté de Jésus, mais a priori sans le découper lui, ça se saurait depuis le temps ! Ainsi Jésus est mort sur la croix par asphyxie due à l'épuisement musculaire.

Les plaies sur son corps souvent reprises sur les dessins, peintures ou sculptures représentant son agonie sont parfois situées au niveau du foie, parfois au milieu de l'abdomen. Ce ne sont pas elles qui ont été la cause la plus probable de sa mort, mais l'impossibilité de respirer provoquée par la crucifixion elle-même. Selon certaines hypothèses, les gardes plantaient leur lance dans le ventre pour vérifier si le supplicié était bien mort.

Le récit de la résurrection de Jésus est totalement imprécis. Son corps a bien été décroché, mais comment et par qui ? Depuis plus de deux mille ans, nul ne le sait !

En ce temps, tous les crucifiés étaient jetés dans une fosse commune ou laissés par terre. La décomposition, avec le climat chaud, était très rapide. En quelques jours, la putréfaction et les bestioles nettoyaient le corps, et les restes partaient dans des ossuaires. C'est une époque où la mort était partout et totalement banale. Il y avait, à différents stades de décomposition, des cadavres sur les bords des routes, dans les champs... Rares étaient les crucifiés ensevelis, excepté ceux qui avaient été remis à leur famille. Donc deux hypothèses : soit Jésus a été mis dans la fosse commune, soit dans un tombeau – mais lequel ?

« Les femmes, après avoir acheté des aromates pour embaumer le corps, sont allées à la tombe et le tombeau était vide. » Elles ont eu peur et sont parties en voyant le tombeau ouvert...

Or personne ne serait allé embaumer un mort déjà mis dans son tombeau, avec la décomposition déjà commencée ; surtout, ce n'était pas dans les rites ou habitudes. Ce tombeau vide permet d'affirmer que Jésus s'est envolé. Et les récits théologiques et liturgiques vont faire comprendre que Jésus est ressuscité. Ainsi, les croyants pouvaient croire et revivaient les messages des anges : il est ressuscité, traduction de ce qu'ils pensaient être la vérité. Et pourtant, vingt et un siècles plus tard et malgré tous les progrès de la médecine, on ne fait toujours pas de miracle, et réanimer un mort par asphyxie, surtout douze heures après sa mort, reste juste impossible !

Jésus était si aimé que certains historiens et théologiens l'imaginent un peu comme nos légendes urbaines : une star ne peut pas avoir le destin d'un simple humain. Napoléon n'est pas mort à Sainte-Hélène, Elvis Presley chante encore, Lady Di roule toujours... Tous les récits de miracles, « lève-toi et marche », sont dus à cette résurrection. Cela ne date pas de Jésus : dans *Le Livre d'Hénoch* datant du IIIe siècle avant J.-C., les chercheurs ont lu que « le juste souffrant sera exalté par Dieu ». Les pensées chrétiennes sont unies par une foi commune : le Christ est vivant, présent, et cette scène de la Résurrection permet d'entretenir la religion, car il est ainsi immortel. Pourtant, Jésus est mort et bien mort, même si la croyance en sa résurrection court encore.

Jésus est mort à trente-trois ans.

CHARLES IX
État fébrile sur la France

Orléans, 5 décembre 1560. Le roi François II vient de mourir à l'âge de seize ans. Vive le roi Charles IX, âgé de neuf ans ! Sa mère, Catherine de Médicis, assure la régence. Le 19 août 1563, elle le déclare majeur.

Un enfant roi est un homme sans enfance, au libre arbitre dicté. Roi à treize ans, Charles IX doit affronter les guerres de Religion. Elles ont commencé en 1562, entre les catholiques qui veulent interdire le protestantisme et les protestants qui résistent. La France est un bain de sang entre Églises, avec querelles de pouvoir et ponctuations du nom de Dieu. Les siècles passent et les mêmes causes produisent les mêmes horreurs.

Dans cette atmosphère de guerre, en mars 1564, Charles, son adolescence entre les oreilles, décide de faire une tournée des villes françaises, un peu comme les caravanes politiques actuelles. Certes, c'est plus long que maintenant : il faut des carrosses, la Cour avec ses coquets en collerette, des frasques champêtres, des soldats, des courtisans. Le jeune roi passe par les villes les plus agitées du royaume : Sens, Troyes, jusque dans le Sud, où, au château Renaissance de Roussillon, il signe un édit qui instaure le 1er janvier comme premier jour de l'année dans tout le royaume. Pour une fois qu'il prend une décision sans tuer personne...

Sa mère lui fait fréquenter les grands illuminés de l'époque, comme Nostradamus et ses délires à Salon-de-Provence. Son tour de France se déroule au milieu de beaucoup de tensions politiques. Et ses ennuis personnels commencent. Il souffre de fièvres nocturnes que les devins et médecins soignent à coups de fumigations et autres clystères. Ce qui ne l'empêche pas de mettre dans son lit de nombreuses petites, facilité de son adolescence et privilège royal. Le roi joue avec sa queue mais a priori il n'attrapera pas la syphilis.

En 1570, il s'occupe à la fois de ses hormones sexuelles et de la diplomatie, en épousant l'infante d'Espagne Élisabeth d'Autriche, avec laquelle il aura un enfant qui mourra subitement. Avec sa maîtresse Marie Touchet, ses testicules royaux lui donneront un fils. Le roi s'amuse, chasse, baise, fait la guerre et a de la fièvre. Les médecins continuent les lavements, les fumigations. La politique et les gros dossiers, c'est pour sa mère perverse, qui prône la réconciliation entre catholiques et protestants tout en intriguant pour le contraire. Et la nuit, le roi chauffe à grandes suées et tousse fréquemment, mais nul ne comprend sa bataille intérieure, alors ses médecins le saignent à la moindre goutte, et les lavements sont réguliers.

Un mariage entre sa royale sœur et le protestant Henri de Navarre est organisé le 18 août 1572 à Paris. De très nombreux dignitaires protestants se rendent à cette énorme fête. La reine mère convainc le jeune roi d'un complot imminent contre lui. Charles IX ordonne le massacre des protestants. Avec ses vingt-deux ans, coiffé de sa couronne, il va par sa décision provoquer environ dix mille morts dans toute la France, dont trois mille à Paris, pendant la Saint-Barthélemy le 24 août. Ambroise Paré, alors chirurgien du roi, raconte que dès le début du massacre Paris n'était que cris, tueries, tortures, avec les cloches qui sonnaient ! « La mort ou la messe ? » Selon la réponse, vous étiez égorgé ou épargné.

Charles IX le vit très mal. Il entre dans une période de surexcitation, il voit des cadavres partout, et plus particulièrement d'amis proches comme l'amiral de Coligny, qu'il appelait « mon père ». Il ne maîtrise plus son peuple délirant, il a très peur et finit par être envahi de remords et par rester prostré. Situation typique des traumatismes psychologiques graves, mais à cette époque, pas de psychiatrie, alors il fait comme il peut pour se changer les idées et calmer ses angoisses. Dans les jours qui suivent, il joue du cor de chasse toute la journée dans son château. C'est la guitare électrique de l'époque et le jeune roi joue fort, ce qui n'arrange pas ses problèmes pulmonaires. Puis il part galoper avec escorte dans les bois autour du château de Vincennes. Après cela, il se tape toutes les petites disponibles, à tel point qu'Ambroise Paré écrit que « toutes ces femmes transformaient ce lit, dont elles espéraient tant, en cercueil ».

Le roi fait toujours des sueurs nocturnes, si typiques de la tuberculose pulmonaire. Un jour, il tousse de plus belle et il se met à cracher du sang. Ces hémoptysies ne vont plus s'arrêter. Ses médecins le saignent encore plus, ce qui ne change rien ni à ses fièvres ni à sa toux, et accélère son agonie. La croyance en une tuberculose, mais royale, est partagée par ses médecins. Elle sera la seule véritable religion du roi.

La guerre repart de plus belle en France. La religion des uns est le prétexte pour égorger les autres. Vers 1574, le roi devient paranoïaque, il voit des complots partout. Il est fatigué, amaigri car la tuberculose atteint tout son corps. Il se réfugie au château de Vincennes. Mais le lieu est glacial, alors il faut multiplier les braseros, les cheminées pour que malgré la fièvre le roi n'ait pas froid. Sa soif est permanente, en raison de ses suées abondantes, et ses médecins le saignent à chaque signe clinique, ce qui aggrave son état de santé général. Alors ils lui font garder le lit.

Charles IX est maigre, les yeux creusés, le teint pâle, il respire très mal, crache du sang. Le chirurgien Ambroise Paré ne peut s'occuper de lui, car c'est le domaine de la médecine. Déjà médecins et chirurgiens se livrent une guerre communautaire totalement stupide – qui se poursuit encore parfois de nos jours ! C'est un décret du roi qui a séparé leurs métiers, et si jamais Paré donnait son avis, il risquerait d'être en infraction. Le premier médecin du roi, Mazille, continue ses sorcelleries en tout genre, qui n'arrangent rien, au contraire. Le 27 mai 1574, le roi tousse de plus belle, crache du sang en quantité, cherche l'air, il a soif et froid, il s'agite et souffre comme jamais dans son château. Il est déshydraté, victime d'un choc septique sévère et d'une anémie chronique en raison des saignées. Mazille lui annonce alors gravement que la veille « la Faculté a longuement délibéré et remis l'affaire aux bons soins du Père éternel ». Sympa ! Il doit être terrorisé, même si la mort à cette époque est noyée dans la croyance religieuse.

Pendant la messe, il a des frissons, signe que toutes les bactéries se répandent dans son organisme, il délire un peu, et vomit en toussant, du pus et du sang. La reine et les dignitaires sont prévenus. L'agonie est atroce, devant une Cour qui le regarde prier, car les médecins lui ont recommandé ces prières. Mais le bacille de Koch l'emporte doucement, effroyablement. À midi, Charles IX est dans le coma, asphyxié, la respiration courte, avec des sueurs, des marbrures qui lui dessinent des sortes de traits rouges sur le corps. Comme toutes ses défenses s'épuisent, la fièvre a chuté. Il meurt en début d'après-midi le 30 mai 1574. La rumeur dira qu'il a été empoisonné afin de pouvoir faire tuer encore plus de protestants.

Désormais, le corps n'est plus aux médecins mais aux chirurgiens ! Charles IX est déposé sur une table d'apparat recouverte d'un grand linceul. Le sculpteur du roi procède de la manière suivante : il frotte le visage du roi avec de l'huile d'amande douce et des pommades puis il pose délicatement du plâtre et le laisse sécher. Une fois le plâtre retiré il coule de la cire dans le moulage du visage. Puis Ambroise Paré « ouvrit le coffre du roi » le 31 mai vers 16 heures, dans le château de Vincennes. En présence de Mazille, l'autopsie est faite devant dix-huit autres médecins et chirurgiens de Sa Majesté, le grand chambellan ainsi que les premiers gentilshommes de sa chambre, les valets de garde-robe et les premiers valets de chambre. L'autopsie constituait un moment politique important. Le « foie est desséché, exsangue, et noirâtre, la vésicule biliaire vide, les intestins en bon état. Reins et vessie sont en bon état, le cœur flasque desséché. Le cerveau sans défaut ». Le roi était quasi exsangue. Son poumon gauche était envahi de pus, il « adhérait au flanc gauche depuis les fausses côtes jusqu'aux clavicules avec une telle force qu'on n'aurait pu l'en détacher sans le déchirer ni le mettre en pièces, avec une putréfaction de sa substance dans laquelle une vomique s'était rompue et avait laissé échapper un flux de pus corrompu et nauséabond ». Le poumon droit était plus gros ; « dans sa partie supérieure, il était putréfié, plein d'une humeur sale, comparable à de la bave ou de la pituite, à du mucilage, à de l'écume, ressemblant à du pus ». Le poumon gauche était devenu le royaume du bacille de Koch, comme une éponge pleine de pus qui remontait vers la trachée. Le poumon droit était distendu : en effet, lorsqu'un côté ne fonctionne pas, c'est l'autre qui fonctionne pour les deux et grossit. Il avait aussi une putréfaction à son extrémité supérieure, typique de la maladie. Avec une telle infection, le roi a fait un choc septique provoquant une défaillance de tous ses organes.

Combien de vies le bacille de Koch devenu royal a-t-il épargnées en tuant ce jeune roi qui avait relancé les guerres de Religion et qui fit couler tant de sang ? Nul ne le sait car plusieurs siècles après les guerres de religion continuent encore.

Charles IX est mort à vingt-quatre ans.

HENRI III
La reine des rois

Saint-Cloud, 2 août 1589. L'agonie du roi vient de se terminer. L'époque est toujours troublée par les guerres de Religion et les querelles de pouvoir dans les familles royales de France et d'Europe. Les ennemis du lundi ne sont pas ceux du mercredi, devenus amis, et pas ceux du week-end, où ils se tueront tous. C'est le temps où la politique est synonyme de guerres au nom de Dieu, et la France est une sorte de vaste champ de bataille, tel un abattoir à ciel ouvert. Les religions font des guerres et massacrent pour remplir les cimetières.

La vie d'Henri III fut très ambivalente politiquement et psychologiquement, laissant supposer une pathologie psychiatrique probable. Il a été à la fois un guerrier psychopathe et un amant excentrique, une sorte de narcissique pervers. Autant il y a de preuves qu'il s'est occupé du cul des femmes de la cour, autant on dispose de peu d'éléments pour affirmer qu'il appréciait aussi le cul des mâles. Henri III baisait à couilles rabattues et pénis en étendard, et ses conquêtes féminines furent nombreuses. Il était doté d'une bonne santé, mais il a été contaminé par toutes les maladies sexuellement transmissibles de l'époque, comme la syphilis. Le gonocoque était de toute façon sur tous les sexes de la cour ; quant aux mycoses, il était anormal de ne pas en avoir, car toutes les parties génitales étaient des champignonnières. Mais comme Henri III passait son temps à se laver, il a fait sans le savoir sa propre prévention et évité un paquet d'infections.

À la cour, la bisexualité semblait d'usage courant. Henri III était efféminé, avec une tronche d'éphèbe, maniéré, et ce côté fanfreluches a entraîné l'Histoire dans des petites histoires avec ses mignons ou son travestissement notamment lors des fêtes au Louvre : le roi adorait se balader torse nu avec des colliers. Dans une soirée, il lui arrivait de se présenter apprêté et maniéré, presque nu avec des sautoirs de perles, la peau recouverte de poudre blanche, de petites mouches et puant le parfum : une certaine idée de la France. D'autres fois, il poussait l'extravagance jusqu'à porter de petites collerettes en or, des broderies fines, toutes sortes de coquetteries – tout en menant par ailleurs des guerres épouvantables. Le roi Henri était une sorte de reine de beauté, qui aimait les perles, les bagues, les boucles d'oreilles... et tuer un maximum d'ennemis ! Un personnage d'une ambivalence complexe, une paranoïa au quotidien, des *on-off*.

Sa grande passion amoureuse fut pour Marie de Clèves. Lorsqu'elle mourut, il tomba dans une grande dépression et jeûna pendant dix jours. Son existence a été ainsi, dans l'excès, alternant avec des périodes de vie austère et de prières ; souvent, il allait en pénitence. Mais il ne se séparait jamais de ses mignons, qui ressemblaient à un étalage de doubles-rideaux ou à la vitrine d'un magasin de cuir.

En cet été 1589, après de multiples combats et intrigues, l'armée d'Henri III et les protestants s'unissent contre la Ligue, un mouvement intégriste catholique, appuyé par le pape Sixte V avec les jésuites, et par Philippe II d'Espagne. La Ligue a réussi à pousser Henri III hors de Paris. La guerre ainsi déclarée, les troupes d'Henri III sont à Saint-Cloud pour assiéger la capitale. L'attaque est proche et le roi est dans son château.

Le mardi 1er août, vers 8 h 30, Henri III est en train de déféquer sur sa chaise percée comme sur un trône. Ce qui aurait pu lui porter bonheur, car le roi aurait dû mourir héroïquement ou dans la sagesse, mais pas en faisant ses besoins. Il est dans sa chambre : c'est un moment rituel que d'assister à la défécation du monarque. Médecins et chirurgiens se félicitent de sa belle merde. Devant lui, les gardes, tels des lampadaires rigolos, drapés de toutes sortes de couleurs et d'oripeaux, surveillent. Le procureur général du parlement de Paris entre dans la chambre royale, accompagné par un moine inconnu. Ce moine dominicain apporte des nouvelles du Louvre, confidentielles. Alors les gardes le laissent passer et il s'approche du roi, qui est toujours assis sur sa chaise percée. On ne se méfie jamais assez des religieux. Lorsqu'il met la main dans sa manche pour donner les lettres secrètes au roi, il en sort un couteau et frappe Sa Majesté sur son trône. Henri III s'écrie : « Aaah ! Méchant, tu m'as tué. »

Les gardes se précipitent. Le souverain tombe de sa chaise, les mains sur le ventre, prostré. Le dominicain est transpercé par toutes les hallebardes et épées présentes dans la chambre. Puis il est jeté par la fenêtre. Lui, il est mort vite fait. Mais pour le roi commence une très lente agonie, sous l'œil de ses chirurgiens, impuissants.

Le couteau est entré juste en dessous de l'ombilic, ce qui aurait pu ne rencontrer que de la graisse et la vessie s'il avait été debout, mais compte tenu de la position assise, la lame a tout transpercé : le tube digestif et, pire, les artères et les veines, ce qui entraîne immédiatement une hémorragie cataclysmique. Henri III est trempé de son sang chaud, que les chirurgiens se contentent d'éponger avec des pansements et autres tissus. L'hémorragie est externe et interne, et, à chaque battement de son cœur, le roi se vide et se meurt. Il prévient son beau-frère et cousin Henri de Navarre, le met en garde contre ses ennemis et le désigne comme son successeur légitime.

Les mignons sont présents et tout ce petit monde en larmes est affolé. Henri a des douleurs atroces, présente une extrême pâleur et, malgré le mois d'août, il doit avoir froid. Les médecins et les chirurgiens regardent, parlent, mais ne font rien d'autre que contempler la mort, fût-ce celle du roi. Ils voient bien tous les signes d'une hémorragie, comme le raconte son chirurgien : « mort par de fréquentes faiblesses, douleurs extrêmes ; suffocation, nausée, fièvre continue, altération et soif intolérable, avec très grandes inquiétudes ». Nous sommes le mercredi 2 août 1589, il est 3 heures du matin. Le roi est mort et Henri IV devient roi.

À 10 heures du matin, le grand prévôt de France demande aux chirurgiens et médecins du roi de l'« ouvrir » : c'est l'autopsie. Un peu comme ils déballeraient une surprise pour savoir ce qu'il y a dedans, ils ouvrent le roi de bas en haut : tous les organes sont en bon état et, chose rare pour l'époque, il n'y a pas trace de tuberculose. Mais la blessure est profonde. Le couteau du moine a fait des ravages. La lame devait avoir une taille de quatre doigts. Ah, le savoir-faire monacal en matière de meurtre ! Les artères et les veines n'ont plus une goutte de sang : il s'est entièrement vidé. Il y a un gros hématome au niveau de la plaie. En « visitant » l'abdomen, les chirurgiens constatent une perforation de la partie du tube digestif appelée l'iléon, qui est percé de part en part. Henri III n'avait aucune chance, à cette époque, de s'en sortir.

L'autopsie finie, le roi est embaumé par deux autres chirurgiens. Son successeur, Henri IV, se rend à son enterrement sans savoir que lui aussi va être assassiné quelques années plus tard à coups de couteau.

Henri III est mort à trente-sept ans.

HENRI IV *VS* RAVAILLAC
Pas l'un sans l'autre

Paris, 14 mai 1610. Les rues sont étroites, la boue malaxée par le passage des animaux, du peuple et des charrettes. Tout cela forme un grand embouteillage à base de gadoue. Le Louvre, l'Hôtel-Dieu et Notre-Dame sont déjà voisins. Henri IV est aimé par un peuple inculte, croyant et intégriste. C'est un roi en bonne santé, malgré ses fréquentes maladies vénériennes. Il se doit de préparer une fête pour le retour de sa cocue de femme, la reine Margot. Ce matin-là, il doit aller voir le ministre des Finances, le duc de Sully, afin de parler argent et préparatifs festifs, ce qui le change de toutes ces guerres dans lesquelles il est engagé. Vue d'aujourd'hui, sa tenue vestimentaire est ridicule, on dirait un homme perdu dans un sac de linge sale entouré de doubles-rideaux de mauvais goût. Vu de son siècle, le roi est beau, drapé dans les tissus les plus riches, aux courbes de grand huit, le cou dans une minerve en collerette blanche, le tout saupoudré de colliers et de pierres précieuses.

Dans la cour du Louvre, il monte à l'intérieur de son carrosse, sorte de lit à baldaquin sur roues, avec des toiles de couleur recouvrant chaque pilier, mais sans fenêtre ni porte, bien que le roi ait déjà échappé à dix-huit attentats : il se croit protégé par Dieu. Ses valets de pied courent autour du carrosse comme des lapins en overdose de trèfle. Ce jour-là, il renvoie ses capitaines de la garde et la plupart de ses hommes, les jugeant inutiles. À ses côtés, le duc d'Épernon, le duc de Montbazon et le maréchal Lavardin. Il est 14 heures. Le carrosse emprunte la rue Saint-Honoré, passe la Croix-du-Trahoir et s'arrête dans la rue de la Ferronnerie, encombrée par les échoppes des marchands, exiguë, bordée de petites maisons en bois de deux étages. Paris pue les bêtes, la fumée, la merde. Henri II, le 14 mai 1554, avait promulgué un règlement pour moderniser cette rue si souvent encombrée, mais déjà les lois n'étaient pas appliquées. Cinquante-six ans après, une charrette de foin, des chevaux et un haquet de tonneaux de vin empêchent toute manœuvre. En attendant, le roi discute avec ses ducs, le bras droit sur Épernon et la main gauche sur l'épaule de Montbazon, de sorte que tout son thorax est dégagé. Les valets de pied tentent de faire la circulation.

Dans un coin, François Ravaillac patiente. Quatorze ans qu'il s'« emploie à solliciter des procès à la Cour ». Huit jours pour venir d'Angoulême à pied. Il est gueux, vit avec sa mère dans la misère et n'a aucun travail. Il a même été rejeté par une congrégation religieuse tellement il est fou. Sa personne est acquise à la schizophrénie paranoïde d'un délire mystique. Il doit accomplir une mission décidée par sa folie interprétative hallucinatoire, faite de huguenots, de cathos, de chrétiens, de dieux, de saints variés et divers, sans oublier ses amis imaginaires. En relisant les textes et récits de l'époque, on comprend qu'on a affaire à un malade psychiatrique en pleine crise aiguë. Difficile de croire qu'il ait pu être à la tête d'un quelconque complot hormis celui fomenté par sa propre folie. Tout lui ordonne de tuer le roi comme de tuer le père. Il cherche depuis plusieurs mois à le rencontrer, mais il a été éconduit plus d'une fois par les gardes, et ça, le fou n'aime pas ! Alors Ravaillac patiente dans ce coin de rue avec son couteau lorsque le carrosse royal s'arrête à quelques mètres de lui.

Hop ! Ravaillac saute sur la roue du carrosse et frappe Henri IV d'un coup de couteau. Ce coup, transperçant le thorax gauche, le poumon et atteignant la veine pulmonaire – celle qui permet au sang d'arriver au cœur –, est d'emblée fatal. Le roi s'écrie : « Je suis blessé ! » Ravaillac plante à nouveau sa lame sous la clavicule gauche, faisant une plaie au muscle pectoral sans pénétrer le thorax. L'agression est si rapide et silencieuse que personne n'a réagi, mais déjà tous hurlent ! Le sang rouge du roi coule de son thorax et de sa bouche. La mort va le prendre en quelques minutes, car le coup porté a crevé le système cardiaque. Ravaillac ne bouge plus, comme épuisé par son acte meurtrier. Il a une lame d'épée sur la gorge, mais il n'est pas tué, car déjà à cette époque on veut garder l'assassin vivant pour l'interroger. Ce fou vient quand même de tuer un roi.

Henri IV est ramené au Louvre, dans le petit cabinet de la reine. Un médecin accourt et énonce le seul traitement de l'époque : « Souvenez-vous de Dieu, dites en votre cœur "Jésus, ayez pitié". » Le problème est là, car son cœur ne peut plus rien dire, l'hémorragie est un cataclysme. Il a le teint jaune et cireux, ayant perdu tout son sang. Le roi se meurt. Le roi est mort. Le 15 mai à 16 heures, dans un brouhaha, dix-huit médecins et treize chirurgiens viennent autopsier le corps royal : « La poitrine percée, le lobe inférieur du poumon gauche, coupant le tronc de la veine pulmonaire un demi-doigt au-dessus de l'oreillette gauche. La poitrine était pleine de sang » et « tous ont jugé que ceste playe estoit seule et nécessaire cause de la mort ». Les entrailles sont mises dans un pot et portées à Saint-Denis. Son cœur est placé dans une urne en argent et envoyé au collège de La Flèche, comme mentionné dans le testament du roi. Puis on fait des moulages de son corps. Toutes les symboliques et tous les rituels d'usage sont exécutés à la lettre. Le peuple de France pleure « le bon roi Henri », ce souverain très populaire. Puis le corps est embaumé, mis en bière et porté en grande cérémonie d'abord à Notre-Dame, puis le 1er juillet 1610 à Saint-Denis où il sera inhumé dans une fosse au milieu du chœur de l'abbatiale. Le roi est mort, vive le roi Louis XIII !

Quant à Ravaillac, il est gardé dans la prison de la Conciergerie, dans le palais de la Cité, torturé par des religieux jusqu'au 19 mai 1610. Les récits de l'interrogatoire du tueur révèlent un être primitif, ne parlant que de son obsession de tuer le roi et de la religion, ce qui est révélateur d'une sémiologie psychiatrique riche et profuse. Il est condamné à mort par supplice le 27 mai. Traîné de la Conciergerie au parvis de Notre-Dame, il doit demander pardon à Dieu. La foule, déchaînée contre lui, lui jette tout ce qu'elle peut trouver. Sa mort n'est pas aussi rapide que celle du monarque : l'assassin doit souffrir. Puis il est amené sur la place de Grève, où le peuple, assoiffé de vengeance, hurle à l'odeur du sang et des cris du fou. D'abord, la main qui a poignardé le roi est transpercée d'un couteau, puis brûlée au fer rouge jusqu'au coude. La douleur est atroce mais Ravaillac semble robuste et ne perd pas connaissance. Ensuite, la brûlure est enduite de soufre et de poix. Puis le bourreau lui arrache les tétons avec une tenaille. Ravaillac a deux plaies sur le thorax ; le bourreau y fait couler du plomb. Ravaillac hurle ! Enfin, il est attaché à deux piquets, et ses membres sont tirés par quatre chevaux. Comme un des chevaux fatigue, il est remplacé. Les tractions ne suffisant pas, un type lui découpe la chair des membres pour que les chevaux les arrachent enfin. Le bourreau frappe les articulations. Ravaillac meurt.

Après ces deux heures, le bourreau prend sa hache pour achever de le couper. Mais la foule est délirante, grisée par la torture. Plusieurs hommes frappent de cent coups d'épée ce qu'il reste du corps. La foule dépèce le cadavre, des femmes et des hommes s'en vont dans Paris avec des bouts de Ravaillac. Une femme est même vue en train d'en manger. Le bourreau ne retrouve que la chemise, du sang et des lambeaux de peau qu'il jette au bûcher.

Il fut interdit de porter le nom de Ravaillac, et sa famille fut bannie. En 1792, des révolutionnaires ont exhumé Henri IV, comme ils l'ont fait pour les autres monarques, juste pour les voir. L'un d'eux lui vola un bout de sa moustache. Comme tous les autres rois enterrés à Saint-Denis, Henri IV fut jeté dans une fosse commune.

Henri IV avait cinquante-sept ans. Ravaillac avait trente et un ou trente-deux ans.

LOUIS XIII
Et le ver devint royal

Saint-Germain-en-Laye, 14 mai 1643, 14 h 45. Le roi est mort. Ou ce qu'il en reste !

Après trente-trois ans de règne sur une France moyenâgeuse, de guerres de Religion contre les huguenots, les Espagnols, de complots entre les religieux, ducs et autres Bourbons, Louis XIII meurt le jour de l'Ascension, à une heure près, jour pour jour, de l'assassinat de son père, Henri IV. Aussi incroyable que cela puisse paraître, nous savons tout de son horrible agonie car elle est décrite avec force détails dans les écrits de Théophraste Renaudot, son médecin ordinaire et père de la presse.

Louis XIII avait une bonne santé pour l'époque. À huit ans, il devient roi, mais il ne se remettra jamais de la mort de son papa. Imaginez le traumatisme du petit bonhomme qui devient roi à cet âge ! Son enfance est écourtée, coincée entre la régence d'une mère qui le fait passer pour un faible, le regard des autres et l'exercice du pouvoir. À quatorze ans, sa mère tue sa sexualité en l'obligeant à épouser et à faire l'amour à l'infante d'Espagne. Son père faisait la guerre aux Espagnols, et lui, il fait l'amour à la fille du roi d'Espagne. Sans doute vit-il cela comme une trahison. Richelieu et sa mère font tout pour l'empêcher de vivre et de prendre le pouvoir. Louis XIII est peut-être un peu homo, un peu misogyne et sans aucun doute paumé, désespéré par la mort de son père et l'absence de sollicitude affective de sa mère, tristement seul dans le désert que représente l'exercice du pouvoir. Alors il prie. Tout le temps et pour tout. C'est sa psychothérapie de soutien. Il cherche un refuge contre ses peurs et la religion est un moyen comme un autre.

Vendredi 20 février 1643, chasse, baise et traditions à Versailles. La vie de la cour se passe à table et dans les plumards. Tout va bien quand, soudain, Louis XIII sort de table pris de violentes douleurs abdominales. Les médecins évoquent une « combustion interne venue de l'estomac ».

Il rentre à Saint-Germain avec mousquetaires, carrosses et chevaux – avec aussi des vomissements, des diarrhées glairo-sanglantes, toujours ces douleurs abdominales atroces et de la fièvre. Les médecins lui donnent de l'eau ferrugineuse de Forges-les-Eaux et lui administrent des purgations, qui font ressortir des paquets hémorroïdaires. Il continue de vomir et se vide par le bas, subissant toute la nullité des théories médicales de l'époque. On le saigne, ce qui aggrave tout car non seulement il a une maladie digestive mais en plus il manque de globules rouges, blancs et de plaquettes à force d'être saigné ! La bataille qui s'engage pour le roi se déroule sur le champ de son tube digestif. Tous l'ignorent, mais le drame ne fait que commencer.

Le 27 février, il va mieux. Mais l'infection le creuse de partout. Rien n'arrête cette assaillante. Les médecins croient qu'ils sont en train de gagner et lui font des lavements, un peu comme d'autres décapent les sols. Ce qui ne traite rien du tout – et provoque d'effroyables conséquences sur la muqueuse digestive.

Louis XIII reprend un peu d'activité, mais souffre encore du ventre. Des coups de poignard sur un fond de douleurs diffuses. Le 3 avril, « le Roy marche dans la galerie des Glaces ». Il devient alors de plus en plus pratiquant, chante des psaumes, banalise sa mort, se fait lire la vie des saints, des textes sur le Christ. Il fuit ses peurs comme il peut. La dépression et le pessimisme semblent l'envahir d'autant plus que son ventre le fait toujours atrocement souffrir.

Le 19 avril, il se sent perdu et déclare à M. Bouvard, son premier médecin : « Je vois bien qu'il faut mourir. Je m'en suis aperçu dès ce matin, puisque j'ai demandé à M. de Meaux [son aumônier] et à mon confesseur les sacrements qu'ils m'ont différé jusqu'à présent. » Il ne mange plus. Il pue. Des fenêtres qu'il fait ouvrir, il voit là-bas, au loin, la basilique de Saint-Denis et se dit que ce sera bientôt son logis. Il a encore des diarrhées de sang, tousse, et la fièvre est son chauffage.

Le roi se vide et ses médecins continuent de lui faire des saignées, des purges et des lavements. Son

ON NE MEURT QU'UNE FOIS...

corps est en anémie et probablement très déshydraté. Tout s'aggrave et Louis XIII sait qu'il va mourir.

Le 21 avril, il ne se lève plus. Il se dit tranquille d'esprit pour accueillir la mort. Il déclare qu'après son décès ce sera sa femme, la reine, qui assurera la régence jusqu'à la majorité du Dauphin, qui deviendra alors Louis XIV.

Avec les diarrhées apparaissent les locataires du roi : des vers. Des vers de sang et de merde royaux. Des ascaris lombricoïdes envahissent Louis XIII. Des couples, composés de femelles de trente centimètres et de mâles plus petits. Toujours par deux ou six, les ascaris, telle une cour ! Certains sortent par le bas et d'autres remontent pour sortir par la bouche. Le monarque n'a plus que la peau et les os. Plus aucun muscle, des carences épouvantables en tout, l'infection, l'anémie, les pertes... Louis XIII est devenu un terrain idéal de développement pour les parasites. On a fait un trou dans son matelas pour qu'il puisse évacuer sa diarrhée, désormais permanente. Le trou est bien rembourré afin que l'odeur, épouvantable, reste sous le lit. Les médecins continuent l'application stricte de leur ignorance et le lavent, le saignent encore et toujours. Ainsi la Cour sauve la face en faisant croire que tout est mis en œuvre pour sauver le roi.

Le souverain dort sous le regard permanent de ses neuf médecins et des religieux. Lorsqu'il se réveille, il prie, s'efforçant de calmer ses angoisses.

Le 8 mai à 23 heures, il ne vomit que de l'eau. Le roi a fait dessiner un verre avec un bec pour boire, et un bassinet avec un bec courbé pour son pénis : Louis XIII vient d'inventer le verre-canard pour boire couché, et l'urinoir. Il dort la bouche ouverte afin de ventiler le plus possible et de compenser ainsi le très grave état de choc septique engendré par toutes les bactéries qui le dévorent après le passage des vers. Une bonne partie de ses poumons est rongée par la tuberculose, alors afin de mieux respirer il tente d'aider son restant de poumon sain à prendre l'air, en quelque sorte.

Le lendemain, à 15 heures, une très violente douleur du côté gauche du ventre le fait hurler. C'est le début de la perforation du côlon sigmoïde dans l'abdomen. Les vers ont percé la barrière digestive. L'envahissement a commencé. Il tousse beaucoup. On lui applique sur le ventre des vessies de porc remplies de lait chaud. Totalement inutiles, elles doivent lui brûler la peau ! Inutile aussi de dire la douleur atroce que cela engendre sur sa péritonite, c'est-à-dire l'infection de tout son ventre.

Le 11 mai, il se dit désespéré des hommes (et sans doute de ses médecins de la cour). Il n'a bu qu'un peu de lait. La douleur au ventre ne cesse pas un seul instant.

Le 12 mai, sa chambre est envahie par tous les costumes possibles, mousquetaires, médecins, curés, femmes de la cour, enfants, marquis, princes... Il leur dit : « Mes amis, c'en est fait, il faut mourir. » À 19 heures, on lui apporte le saint viatique, croyant l'heure venue. Mais il se bat encore, comme d'Artagnan seul face aux soldats du Cardinal. Et hop, il communie avec l'évêque de Lisieux pendant quatre heures. C'est un peu comme s'il prenait un dernier verre pour la route. La reine reste à son chevet et ne sort que le temps de vider le bassin plein de selles, de pus, de sang et de vers qui sortent de son corps. L'odeur est effroyable.

Le 14 mai, à 2 heures du matin, il se fait lire la Passion du Christ pour se rassurer. Au matin, le choc de l'hémorragie et des saignées est tel qu'il a très soif ; il boit un peu de lait. Il s'est redressé, sur le trou de son matelas entouré de sacs et d'oreillers afin de le rendre moins inconfortable. Il ne fait que de l'eau. Il se renseigne, et le médecin répond : « Sire, je crois que ce sera bientôt que Dieu délivrera Votre Majesté ; je ne trouve plus de pouls. »

Vers 13 h 30, Louis XIII perd la parole, puis l'ouïe. Ses jambes, puis ses mains et son ventre s'arrêtent de remuer. Il a des hoquets – en fait les ultimes mouvements de sa respiration. Les trois coups ont sonné. Le roi est mort.

Comme il est d'usage à cette époque, il est autopsié. Le 15 mai à 6 h 30, médecins et chirurgiens des facultés sont dans une galerie, autour du corps reposant sur une table, « le coffre tout ouvert », c'est-à-dire que le roi est ouvert de haut en bas ! À côté de la table sont alignés des bassins et des vases ; dans certains sont mis les boyaux, dans d'autres « le foye, la rate et le cœur ».

Cœur et rate sont « beaux ». Le haut mésentère est envahi de vers, retrouvés aussi dans le foie et dans l'estomac. Il y a une poche de pus dans le poumon gauche, due à la tuberculose pulmonaire. Le côlon, l'intestin et l'estomac sont percés d'ulcères. Les parois sont elles aussi pleines de pus. Le roi a eu une rectocolite hémorragique avec une tuberculose iléocæcale et pulmonaire. Plus une péritonite, sans oublier les perforations dues aux ascaris.

Comme pour marquer sa désespérance éternelle, Louis XIII a refusé les cérémonies royales et a été directement inhumé à Saint-Denis, simplement vêtu d'une camisole blanche et d'un bonnet de nuit.

Il a été déterré le 10 août 1793 : les révolutionnaires voulaient montrer que les rois et reines étaient comme les autres cadavres, puis ils ont jeté les squelettes dans une fosse commune. Le squelette royal de Louis XIII atterrit avec les autres. Ce n'est qu'à la seconde Restauration que les rois et les reines ont été remis dans leur tombeau, mais impossible de savoir qui était qui, et beaucoup de sépultures restent vides !

Louis XIII avait quarante et un ans.

MOLIÈRE

Mort malgré lui

Paris, 27 novembre 1665. Molière tousse et souffre de fièvre profuse nocturne, il ne mange plus, il a très souvent soif, mais il continue à écrire et à jouer sa pièce, *L'Amour médecin*. Il a quarante-trois ans.

Il est l'auteur et le pote du monarque, qui vient de proclamer sa compagnie « Troupe du Roy » ! Paris est sous le règne de Louis XIV. La cour est une meute de perruques en rut, aux abois derrière le souverain. C'est l'époque des poudres pour cacher les mycoses et autres abcès, des parfums pour dissimuler les odeurs, de la surmortalité infantile, de l'hygiène déplorable et de la transmission de germes tous azimuts ! Les dents ne sont pas blanches tant on ingurgite de plomb, présent partout, notamment dans la vaisselle et les ustensiles de cuisine. La cour est censée faire de la politique, mais il faut reconnaître qu'elle ne répond finalement qu'aux injonctions des hormones femelles et mâles de cette bande de gens bien nés. Les courtisans font l'amour et se refilent des maladies sexuellement transmissibles. La petite vérole est un peu la reine mère de la cour. Le royaume de Louis XIV est avant tout celui des virus, bactéries et autres parasites.

Que font les médecins de l'époque ? Pas grand-chose en dehors des lavements et des saignées pour lesquelles ils sectionnent les veines des poignets et des chevilles. Régulièrement, ils coupent les tendons et les malades se retrouvent impotents ! Dans ses pièces, Molière se moque tout le temps des médecins et des apothicaires. Ils n'apprécient pas du tout : ils n'en peuvent plus de ces moqueries à leur encontre. Mais l'auteur a trouvé un filon qui a une très forte résonance dans le public venu le voir en scène : non seulement cette forme de médecine, très primitive, est réservée aux riches, mais surtout elle n'est pas performante.

Alors, en ce mois de novembre 1665, quand Jean-Baptiste Poquelin tombe très malade, les médecins pouffent à leur tour et ne bougent pas le petit doigt pour l'aider. Molière reste chez lui, non loin de la Seine, à deux pas du Louvre, en toussant, en respirant difficilement, et avec une fièvre qui ne cesse de varier. Il boit des décoctions et des tisanes car la fièvre le déshydrate. Elles ne servent à rien, le bacille de Koch creuse et se développe dans ce corps tendre : il a achevé sa première œuvre dans les poumons de l'auteur, qu'il a transformés en cavernes ! Dès lors, il peut entrer dans tout l'organisme et partir coloniser

les autres tissus. Il n'existe alors aucun traitement.
Molière, lui, écrit *Le Médecin malgré lui*. La tuberculose et lui ne forment plus qu'un. L'auteur de
L'École des femmes souffre également d'une bien
belle dépression depuis la mort de son fils Louis,
emporté par une maladie de la petite enfance, comme
le sera son frère Pierre quelques années plus tard. La
mortalité des enfants est effroyable à cette époque.
Tous deux sont les enfants de son grand amour,
Armande Béjart, qu'il quittera à l'âge de cinquante
ans mais dont il restera très proche. Inutile de dire
qu'en ce temps, la psychiatrie n'existait pas – les
seuls qui faisaient office de psychologues étaient les
curés, mais ils en profitaient pour en faire du prosély-
tisme. Un coup de déprime ? Prières, repentance,
offices religieux... Peine perdue : Molière ne croit
pas !

L'année suivante, il rechute alors qu'il joue
Le Médecin malgré lui. Fièvre, maigreur, insomnie,
douleur, toux. Il reste chez lui neuf mois avant de
remonter sur scène. Le bacille de Koch se régale du
tissu pulmonaire du bon Molière.

Nous voici maintenant le 17 février 1673, dans le
théâtre du Palais-Royal. Avez-vous votre billet ?
Molière joue Argan dans sa dernière pièce, *Le Malade
imaginaire*. Succès énorme ! La salle sent les bougies,
la poussière et la sueur. C'est un grand brouhaha, et
tout le monde est serré. Les pauvres, au fond, ne
voient pas grand-chose à travers les perruques bou-
clées et géantes des nobles, qui se placent aussi sur

la scène. Il est 16 heures, et Molière a froid en cet hiver, malgré tous les vêtements qu'il porte. Il est très fatigué et tousse beaucoup. Pendant la représentation, il se met à cracher du sang rouge. Mais l'artiste en rit pour se cacher. L'hémoptysie ne fait que commencer : la caverne des poumons a atteint les artères, transperçant toutes les barrières tissulaires, et elle vient de se rompre. Contrairement à la légende, Jean-Baptiste ne meurt pas sur scène. Il est 19 heures. L'agonie a commencé. Molière gagne sa loge, soutenu par ses proches. Il s'effondre dans un fauteuil. La situation est dramatique.

Molière a une soif inextinguible, et toujours très froid. Deux signes de l'hémorragie interne. Il est pâle en raison de l'anémie, en sueur en raison de sa difficulté à respirer, épuisé. La tuberculose a dû se répandre un peu partout dans son corps, dans les os, la vessie, le tube digestif... Puis il est pris de convulsions. Est-ce la fièvre, une méningite tuberculeuse, le manque d'oxygène ou les trois réunis ?

Mais Molière refuse de bouger, et même de s'étendre. La position assise est une position que les malades atteints de grande détresse respiratoire conservent pour mieux respirer. S'il s'était allongé, il serait mort sur-le-champ. Il est glacé, selon le comédien Michel Baron, qui reste à ses côtés, totalement démuni.

Deux costauds viennent le chercher et le portent dans un carrosse. Il habite alors rue de Richelieu, à quelques mètres du Palais-Royal. Le trajet lui semble interminable, entre le froid, les secousses et la spoliation sanguine. Arrivé chez lui, il reste sur sa chaise. Le feu crépite, il est couvert de vêtements et de couvertures, mais il est transi de froid et a toujours très soif.

Il demande à son ex-épouse, Armande, de venir et lui dit : « Je vous pardonne de m'avoir été infidèle car je meurs ce soir. » La mort par hémorragie est lente et angoissante, d'autant plus que l'étouffement augmente graduellement. Les poumons se remplissent de sang, que Molière crache dans des toux incoercibles. Il voit le sang couler de sa bouche à gros bouillons sans pouvoir rien faire. Effroyable constat pour lui et ses amis, qui le regardent, impuissants. Le sang s'écoule directement des artères et veines des poumons vers l'extérieur. C'est seulement après deux ou trois longues minutes qu'il a dû perdre conscience, en cherchant désespérément de l'air, comme une carpe qui tente de survivre hors de l'eau. La mort entre en lui progressivement, pour le faire souffrir.

Aucun médecin du roi ou autre n'est présent. Ni les puissants qui riaient tant avec lui, qui le flattaient, ni le roi... personne n'est venu. Le maître meurt entouré de sa troupe. De toute façon, ils étaient tous nuls et n'auraient rien pu faire, sauf des prières, dont l'effet placebo est très relatif. Les linges absorbent le sang de Molière, et sa vie s'en va. Il meurt vers 22 heures.

Louis XIV est prévenu. Le clergé a excommunié tous les comédiens. Les religieux détestent les artistes. Les dévots, trop contents de se faire l'humoriste, l'auteur anticlérical, le bouffon du roi, refusent de l'enterrer religieusement malgré les témoignages attestant qu'il serait mort en bon chrétien. Armande va voir le roi, qui daigne demander à l'archevêque une sépulture. Elle lui serait donnée par le curé de Saint-Eustache, mais de nuit, sans personne. Raté ! Même devenu cadavre, Molière va encore leur faire une blague.

Le 21 février, vers 21 heures, le peuple vient aux funérailles avec des flambeaux. La Fontaine et Boileau sont présents. Le cercueil quitte la rue de Richelieu porté par quatre ecclésiastiques dans la nuit glaciale. Molière est inhumé près de la croix au cimetière Saint-Joseph, qui jouxte la rue Montmartre. Armande fait recouvrir la dalle de fagots de bois afin que les sans-logis puissent se réchauffer. La pierre froide se brise alors sous la chaleur, et plus personne ne s'en soucie. La tombe est laissée à l'abandon.

Mais, comme une fourberie, le temps fait que plus personne ne sait où est la véritable tombe de Molière. En 1792, les révolutionnaires exhument deux corps supposés être ceux de Molière et de Jean de La Fontaine. Ils les transportent dans de petites boîtes, d'abord dans un musée, puis au Père-Lachaise. Qui est l'un, qui est l'autre ? Impossible de le dire. Comme une dernière farce, les os de La Fontaine sont peut-être dans la tombe de Molière et inversement, ou peut-être sont-ils tous mélangés ? Ou pas ?

Personne n'a de certitude sur l'emplacement exact où repose le corps de Molière. Mais est-ce bien important ? Aujourd'hui encore, Molière est partout et on ne l'a oublié nulle part !

Molière est mort à cinquante et un ans.

LULLY

Le poids d'un bâton
et le choc de la passion

Versailles, 1687. Ta ! Tatatata. Ta. Ta. Ta... Ra...
Tataaaa... Bon, d'accord, la musique baroque s'écoute
et ne s'écrit pas, ou alors avec des clés et des notes.
Elle se danse, oui ! Mais sans les pieds... avec les
bras ! C'est une danse des membres supérieurs et non
pas des membres inférieurs : point de dispute à ce
sujet, nous sommes sous Louis XIV et d'ailleurs le
voici qui arrive. La cour se promène au Louvre, mais
passe aussi par les châteaux et jardins de Fontaine-
bleau, Saint-Germain, Chambord et Versailles. Vue
d'en haut, elle ressemble à un élevage de cockers en
rut, qui cavalent après des perruches en chaleur. Vue
d'en bas, sous les perruques, il y a des poux, et sous
les fringues, c'est la foire à la crasse, aux mycoses,
aux infections avec petite vérole, gonocoque, chla-
mydia, tuberculose... C'est un genre de rassemble-
ment de courtisans bactériens, viraux et parasitaires.
À cette époque, la bisexualité est banale. Tous les
trous sont permis : culs bénis devant et culs en l'air

derrière, avec la syphilis en guise de souvenir. L'odeur de la cour est un mélange de sueur, de pisse et de merde, car tout ce petit monde fait ses besoins n'importe où, parfois dans des seaux qui sont baladés par des laquais. Il n'y a aucune hygiène, et Molière décrit très bien la médecine de l'époque.

Certes, la cour du roi ripaille, baise, mais c'est aussi une sorte d'îlot de création artistique dans un pays moyenâgeux. Les cours européennes de l'époque sont rigoureusement culturelles, dans la continuité des doges vénitiens. Il y a des peintres, des sculpteurs, des comédiens, des artistes, des philosophes. Le calendrier de la cour est une succession de rendez-vous de théâtre, de chant, de ballet, de lecture, de rencontres galantes où se mêle parfois un peu de politique faite par les armes et les guerres.

Louis XIV a son musicien : Jean-Baptiste Lully, immigré italien. Ils ont six ans d'écart et se fréquentent depuis l'adolescence. Le roi a aussi son auteur de théâtre : Molière. Les trois sont très jeunes, ils se connaissent bien et Lully fait rire aux éclats Molière, son aîné de dix ans. Comme ils sont potes, Lully, dont le talent explose toute la musique de l'époque, écrit la plupart des musiques et des ballets des œuvres de Molière.

Lully est marié et il a des enfants, mais il a aussi des maîtresses et des amants, et notamment un petit page qu'il s'est tapé au vu et au su de tout le monde, ce qui entraînera sa disgrâce auprès du roi. Lully est même accusé d'avoir sodomisé la moitié des chantres de la chapelle. Comme toute la cour, il est libertin et va souvent à l'enclos du Temple, où se trouvent les bordels, les salles de jeu et toutes les formes de débauche. Il aime également le vin, qui n'est pas de grande qualité, mais il picole beaucoup, ce qui n'arrange pas sa santé.

Car Lully et le roi ont une maladie commune : le diabète. Cette maladie favorise les infections de toutes sortes. Des apothicaires et des médecins ont découvert que les urines du roi avaient un goût sucré : la pratique du temps était à la dégustation des urines si bien ridiculisée par Molière. Mais le sujet de préoccupation de la cour est la fistule anale du roi. Tout le monde en parle et veut la voir. C'est un privilège de voir le trou du roi et son suintement purulent. Mais elle finit par guérir, plus par hasard que par traitement. Cela dit, l'était-elle vraiment ou le roi en avait-il juste marre de montrer son anus ? Nul ne sait. Quoi qu'il en soit, il faut fêter l'événement ! Alors, Lully s'empresse de répéter son *Te Deum* à la gloire de la guérison de l'anus du Roi-Soleil. Le 8 janvier 1687, aux Feuillants, un couvent dans Paris, il va diriger son œuvre avec tout son grand orchestre afin de remercier le Ciel. C'est la tour Eiffel avec Johnny Hallyday, en quelque sorte, ou les Rolling Stones à Broadway.

Pour mener ses troupes, Lully utilise une grande canne de plus de deux mètres de haut, recouverte d'argent et surmontée d'un lanternon ouvragé. Il se sert de cette canne magistrale pour marquer le rythme en tapant le sol et en faisant des gestes que les musiciens comprennent. Avec sa perruque de cocker, ses

habits de double-rideau et ses mouvements fréné-
tiques, il fait penser à un brave toutou trop heureux
d'avoir trouvé un grand bâton. Les mouvements sont
amples et saccadés, comme pour montrer sa puissance dans l'église et saluer le roi. Soudain, un cri
vient interrompre la musique. C'est Lully qui hurle et
se courbe en se tenant le pied. Dans sa passion de la
direction musicale, il a frappé violemment son pied
de sa baguette géante. Il a une plaie béante, qui saigne
abondamment, et il ressent une douleur atroce. À
l'époque, une plaie se soigne comme sur un champ
de bataille : de l'eau, des cautérisations au fer brûlant,
une amputation, ou des applications de cataplasmes à
base d'herbes ou de mousses. S'en sortir est miracu-
leux.

Lully marche avec grande difficulté, comme lors
des fractures des métatarses. Le roi dépêche ses bar-
biers, chirurgiens de l'époque, pour soigner cette
fracture ouverte. Mais Lully est en disgrâce et on le
laisse chez lui. D'ailleurs, les hôpitaux ne sont là que
pour la misère ; les gens riches ou puissants sont
soignés à domicile ou plus précisément : pas soignés,
et chez eux !

Le diabète favorise les infections, Lully est en plus
porteur de maladies sexuellement transmissibles, et
tout va s'aggraver très vite. L'agonie commence.
L'infection remonte inexorablement et lentement dans
son corps, sous le regard sans doute dubitatif de
quelques médecins. De jour en jour les chairs, les os
sont colonisés par les bactéries, et les douleurs sont
atroces. Puis les bactéries commencent à se diffuser

dans tout l'organisme. La fièvre fait des bonds et le pied n'est plus qu'une énorme plaie nauséabonde et purulente qui progresse vers la cuisse. La gangrène monte en trois mois jusqu'à envahir tout le corps du musicien. Les germes se multiplient sans aucune difficulté. Lully souffre d'un choc septique avec une défaillance multiviscérale, c'est-à-dire que plus aucun de ses organes ne fonctionne et qu'ils sont peu à peu assiégés par les bactéries. Mais, à cette époque, on ne connaît rien en physiologie et en anatomie et moins que rien en traitement. Et surtout, l'Église interdit la recherche médicale et les autopsies. L'agonie de Lully est épouvantable, et personne ne peut plus l'aider. Les médecins ont dû se contenter de la contempler, en préconisant des saignées catastrophiques dans son état ou des potions inutiles. Sans aucun soulagement possible et bien qu'il fût le protégé du roi, un musicien de talent, l'ami des puissants, Lully a été abandonné à son funèbre destin.

Avec toute la gratitude de l'Église qui ne l'aimait pas et de l'anus du roi pour lequel il a donné sa dernière musique, Lully est mort atrocement sans tambour ni trompette, le 22 mars 1687, à l'âge de cinquante-quatre ans.

JEAN DE LA FONTAINE
Une vie en zoo

Paris, 13 avril 1695, le regard de Jean de La Fontaine s'affaisse doucement pour partir dans la mort. Il est à l'hôtel Hervart, rue Plâtrière, devenu depuis le 63, rue Jean-Jacques-Rousseau. Dans la chambre, il y a des curés, des ministres, des précieux, des ridicules, des perruques, des fâcheux et sa bonne. Jean ! Jeannot, comme le nomment tous les animaux eux aussi présents dans cette chambre, et que nul ne peut voir. La grenouille est venue sur le bœuf, l'aigle et la pie sont réconciliés, l'âne et le chien pleurent dans les pattes l'un de l'autre, un charlatan joue de la flûte, un chat porte deux moineaux sur ses frêles épaules, le cerf à la coiffe de bois brame, la cigale chante et la fourmi danse. Au fond de la pièce, le corbeau pleure en regardant le renard qui pue le vieux fromage. Qui va s'occuper d'eux maintenant ?

Depuis trois ans que son agonie dure, la porte de l'imaginaire du maître a été close par l'abbé Pouget. Cet intégriste a saisi l'opportunité de la maladie de l'académicien pour le convertir à la religion. Torture psychologique et morale, afin de lui faire expier et renier son œuvre.

Jean a été robuste toute sa vie, avec une sexualité généreuse, comme aiment à le rappeler le lion amoureux, les écrevisses ou les lièvres. Imaginez un instant les soirées avec Molière, Boileau, Lully, leur jeunesse, les perruques de travers, l'ivresse, les femmes merveilleuses de douceur et les histoires drôles à foison, avec l'imaginaire lancé à la vitesse du bonheur dans l'art et la création. Puces, morpions, poux, mouches et moustiques pourraient nous les conter : Épicure et Bacchus à la même table que l'optimisme, l'humour et la joie, des idées de pièces et de sonnets, des musiques et de majestueux pas de danse qui tourneront pour l'éternité. Mais les religieux ne l'entendent pas du tout de cette oreille. Ces crotales et vipères veulent la peau de cette bande de contestataires de l'ordre moral établi au nom de Dieu. Pas question de se laisser ridiculiser par ces créateurs.

Toute sa vie, La Fontaine a été aussi fort que le chêne et le roseau, tout en restant très simple et humble. Une santé évitant tous les maux de l'époque, jusqu'à ses soixante et onze ans. Mi-décembre 1692, il respire mal, il a de la fièvre, il tousse et crache, il maigrit. Il reste couché et le mal le ronge. La tuberculose est partout et ses bactéries se répandent facilement dans les tissus.

Le bacille a posé ses valises dans le poète et a commencé à le ronger. Cette primo-infection le cloue désormais au lit. Un autre mal accable le génie : la peur de la mort. Il a désespéré à l'enterrement nocturne de Molière, sa peine fut grande à la mort de Lully, et son chagrin immense à la mort de ses maîtresses ou amies.

La Fontaine est terrorisé par la mort, d'autant plus que sa douce amie, Mme de La Sablière, s'éteint le 6 février 1693. Elle était sa protectrice, et lui donnait l'argent qu'il n'a jamais eu. Mais le médecin « des incurables » a dit à cette femme que, compte tenu de l'énorme tumeur de son sein, la mort allait arriver vite. L'état d'esprit de Jean change alors et il demande un prêtre, lui qui s'est toujours tant moqué de la religion ! Comme il est un auteur impie, l'Église s'empresse d'envoyer une sorte de laveur de cerveau afin de ramener le conteur pécheur à la chrétienté.

C'est un jeune intégriste, l'abbé Pouget, qui est dépêché sur place. Pour lui, La Fontaine est le diable. Tous les jours, il lui assène de la prière, des leçons religieuses, des études de textes sacrés. Il va mettre le poète en pénitence et inflige une véritable torture psychologique à l'auteur de la fable *Le Rat et l'Huître*. Un jour, la domestique qui gardait Jean crie, tellement l'abbé s'acharne sur son maître : « Ah, ne le tourmentez pas autant ! » avant de le chasser. « La maladie a mis La Fontaine en état de faire des réflexions sérieuses, écrit le religieux. Il cherchait le vrai et il s'y rendait : il ne cherchait point à chicaner. » L'abbé écrase sa création artistique pour lui faire croire en un Créateur unique. Le serpent était entré chez La Fontaine, et il a beau se battre pour défendre ses œuvres, l'abbé, maître en perversion, engage La Fontaine à ne plus écrire que des ouvrages religieux et à renoncer à l'impression des contes, à la stupeur de Racine et de Boileau. Affreuse perspective pour l'auteur : il a dans ses tiroirs une pièce de théâtre, que ses amis ont trouvée fabuleuse. Sur pression de Pouget, du chancelier de l'Église et de l'université de Paris, La Fontaine la jette au feu.

Pendant ce temps, doucement, la bande à bacille tuberculeux gagne du terrain. Le 12 février, La Fontaine demande à recevoir l'extrême-onction. Jean est terrifié en entendant dans l'escalier la clochette de l'enfant de chœur qui apporte le saint viatique. Il fait venir les membres de l'Académie, les curés, l'abbé, ses amis, ses hôtes... et prononce un discours pour dire qu'il renonce à l'écriture et à publier ses contes et ses fables. Un carnage pour la littérature, un autodafé pour le religieux.

À Versailles, le roi est mis au courant que Jean s'autodétruit en renonçant à ses droits d'auteur, et qu'ainsi il est plus pauvre que jamais. La somme de cinquante louis d'or est portée au mourant, discrètement donnée par le roi. Ainsi rassuré, Jean de La Fontaine, comme dans une fable, attend la mort. Mais elle ne vient pas ! Il passe plusieurs semaines enfermé chez lui, pas un seul battement de cœur ne lui manque, et le souffle continue.

À l'été 1693, La Fontaine va mieux, et il est facile d'imaginer que l'abbé Pouget attribue cette amélioration à sa purge religieuse. Il se remet à écrire, mais uniquement des bidouilles religieuses, hymnes et dies irae. « Je continue toujours à bien me porter et ai un appétit et une vigueur enragés... J'ai marché cinq lieues. » Il se balade souvent dans Paris, traîne, fait des rencontres, mais lui voit des tortues, des mulets, des perroquets... Toute son inspiration est là, mais il prie. Il a toujours aussi peur de la mort, et l'abbé ne lâche pas l'affaire.

Puis son état s'aggrave de nouveau. Il reste alité, sans soins particuliers, juste un peu d'eau. Il meurt dans une sorte de suffocation morale et physique. Ses poumons ne sont plus qu'un champ de bactéries. À la surprise de tout le monde, en le déshabillant pour préparer son corps, on découvre un cilice. Nul ne savait qu'il s'était mis une ceinture de crin à même la peau ! Depuis des mois, ce cilice a provoqué des plaies sales, des escarres épouvantables. Toute la ceinture abdominale est infectée, puante et couverte d'abcès. L'abbé Pouget jure que ce n'est pas lui qui a ordonné ces pénitences, n'empêche, « il est mort chrétien » !

On ne sait où La Fontaine est enterré. Un temps, il fut dit qu'il était au cimetière Saint-Joseph, mais il était à celui des Saints-Innocents, aujourd'hui disparu. À la Révolution, ses restes furent déterrés et mélangés à ceux de Molière, avant d'être mis dans des tombes au Père-Lachaise. Mais personne ne sait qui est dans la tombe de qui, ni même si c'est eux ! Cette blague doit bien les faire rire, eux qui sont partout et dans toutes les têtes.

En finissant ce texte, une chose étrange m'est arrivée : une fourmi est venue sur ma table et m'a parlé ! Elle m'a dit qu'un rat avait eu confidence d'asticots et de coccinelles, qui tenaient ça de quelques coquillages : juste avant de mourir, Jean de La Fontaine aurait été emmené par des oiseaux très forts et très beaux jusqu'au roi des animaux, loin des hommes. Depuis, il n'aurait plus peur et serait guéri et bienheureux. Mais peut-on croire les contes et les fables ?

Jean de La Fontaine est mort à soixante-treize ans.

LOUIS XIV

Un soleil en sucre

Versailles, 1er septembre 1715, au premier étage du château. Le roi se meurt. Sonnez trompettes et frappez tambours : le Roi-Soleil s'est éteint. Un homme grand pour l'époque (1,84 m) et un grand homme pour l'histoire, par les arts qu'il a valorisés avec ses potes : Molière, Lully... Louis XIV a passé sa vie à bouffer, chasser, faire la guerre et l'amour : on lui compte six enfants légitimes et au moins onze maîtresses. Louis est mégalo, narcissique, mais comment pourrait-il en être autrement lorsqu'on devient roi à quatre ans et demi ? Il apparaît costumé en soleil à certaines fêtes. Il fait arrêter Fouquet, qui a fait construire Vaux-le-Vicomte, plus beau que le palais du roi. Puis utilise tous les artistes de ce château pour refaire Versailles !

Sa santé est plutôt bonne, et même résistante, car il a été carrément attaqué toute sa vie par ses médecins, trois incultes qui l'épient chaque jour. Il a échappé à la vérole à l'âge où il est devenu roi. Tout est écrit au jour le jour dans le *Journal de la santé du roy*, qui précise la moindre de ses pathologies.

N'ayez pas peur, venez avec moi, déguisons-nous en valets de la cour et allons regarder ce qui se passe auprès du royal malade. Une saignée est faite au moindre rhume, au moindre mal. Chaque fois, le médecin dit au chirurgien combien d'onces de sang il faut enlever, soit par le bras soit par le pied. On pratiquait ces saignées pour « évacuer les humeurs » par les pieds car « le mal descend »... voilà qui résume toute la gravité du ridicule des médecins de l'époque. Et si ces humeurs coulaient trop abondamment, on saignait aussi par le bras. Rares furent les malades à être sortis vivants de tels traitements.

Le summum des remèdes était le bézoard, une concrétion calcaire trouvée dans l'estomac ou l'intestin d'animaux, sans intérêt, mais qui était censée protéger le cœur contre les maladies infectieuses ! Le frère du roi payait une fortune les boîtes de perles qui étaient fabriquées par les jésuites de Goa. Plus ces concrétions venaient de loin, plus elles étaient censées avoir de valeur et de vertus...

Nous aurions du mal à écarter les purges et les lavements qui ont imposé que le principal trône du roi fût sa chaise percée : la purge était faite à la moindre chaleur ou au moindre réveil de sa goutte. On procédait aux lavements par la pénétration rectale de clystères, sortes de poires, de taille variable et variée, accompagnées de litres de mélanges de décoctions aux noms lyriques et féeriques et aux propriétés oniriques. Ainsi, pendant plus de soixante ans, le roi sera lavé comme d'autres lavent leurs chevaux. Et ce n'est pas tout : ses médecins regardent ensuite ses selles et en font une description littéraire, romanesque ! Quel que soit le signe clinique, le roi est saigné, purgé, lavé, et mis à la diète. Évidemment, le pauvre se retrouve totalement K-O après avoir perdu son sang et ses selles. Le premier médecin trouve cela normal, et le « roy dort mieux ». Et pour cause, après une hémorragie et de telles pertes digestives, il est en choc hypovolémique, c'est-à-dire qu'il lui manque une grande quantité de sang.

À ses vingt ans, il présente des épisodes de grande soif et des envies d'uriner permanentes. Il maigrit beaucoup. Tout cela entre dans le cadre d'un diabète. Ses médecins, évidemment, le saignent et le lavent, ce qui est inutile. Mais ils le mettent aussi à la diète par un régime de légumes et d'eau, ce qui va ralentir l'évolution et les conséquences de la maladie : une sorte de régime sans sucre. De plus, les épisodes de goutte vont ponctuer ses excès alimentaires de régimes drastiques. Ainsi, sans le savoir, le roi a un régime de diabétique.

Son ancien médecin, un certain d'Aquin, est remplacé en 1693 par Fagon mais rien ne change dans les traitements et la contemplation de la santé du roi. Un jour, lors d'un lavement, un ver est sorti : Fagon y voit l'explication à la fois des vertiges, des douleurs du ventre, et des humeurs du roi. Il faut dire qu'à cette époque la viande avariée était très souvent contaminée par l'ascaris, ver qui, comme nous l'avons vu, aime se loger dans le tube digestif. Fagon redouble alors les purges et lavements !

Mais, avant d'approcher ses derniers instants, regardons le roi de la tête aux pieds et examinons le champ de bataille médical qu'il est devenu.

Louis XIV dort peu et fait de fréquents cauchemars qui permettent à ses médecins de relancer lavements, purges et tisanes. Il mange énormément et de tout, tout le temps, et bien sucré (sauf en période de régime forcé). Mais, sans brossage de dents, celles-ci sont devenues pourries. Selon certains témoignages, il puait à en éloigner toute vie de sa bouche. En 1685, ses dents sont détruites, il souffre d'un abcès dentaire et d'une ostéite. Le chirurgien, au lieu d'arracher les quelques chicots, arrache en même temps une partie du malaire et du palais. Nul ne sait ce qu'est devenu ce foreur de palais royal ! Par la suite, au moindre liquide absorbé, tout refluera par le nez et la bouche, un peu comme les jets d'eau des bassins de Versailles !

Un an après le haut, le bas. Les lavements du roi étaient un tel événement que La Fontaine en fit un conte : *Le Glouton*. Mais, à force d'introduire sans aucune asepsie ces canules de fer, de cuivre ou de plomb, la marge anale et l'anus se sont irrités. Alors un abcès apparaît, et non une fistule, comme il est fréquent de le lire. La bagarre fait rage entre chirurgiens et médecins autour de l'anus du roi. Fagon ordonne des poses de pâte et autres gelées, le chirurgien Félix veut percer l'abcès. Le pus ne pouvant sortir, bloqué par les préparations des médecins, il se répand vers l'intérieur royal. Louis a horriblement mal, mais à cette époque, souffrir est bon pour Dieu, alors il prie tandis que les bactéries continuent de le bouffer royalement.

L'état du roi évoluant vers le choc septique, le chirurgien est enfin autorisé à vider l'abcès. Il invente alors en quelque sorte un scalpel. Le pus, sale quoique royal, s'évacue. Le 10 janvier 1685, pour cicatriser, on enfonce un fer ardent, le « bouton de feu », quatorze fois dans la cavité laissée par l'abcès. Le roi supporte la douleur, et il guérit !

Louis XIV souffre aussi de fréquents accès de fièvre laissant supposer qu'il avait la malaria, présente à cette époque dans les marécages de Versailles.

C'est donc un roi pléthorique, qui a du diabète, de la goutte, des rhumatismes, des fuites du nez et de l'anus, et pourtant il atteint plus de soixante-dix ans, ce qui est exceptionnel pour l'époque. Il va encore à la chasse avec la cour. Le vendredi 9 août 1715, il se blesse à la jambe gauche. Une petite plaie superficielle. Mais sa jambe est œdémateuse, avec une probable insuffisance veineuse, comme en présentent les diabétiques non traités. Fagon intervient et invente, comme à son habitude, une maladie. Cette fois, c'est une sciatique. Encore raté. Des taches et des rougeurs apparaissent : le début de l'érysipèle. La jambe du roi est douloureuse et chaude, avec des phlyctènes nécrotiques – le streptocoque est de retour, mais cette fois par la jambe. Doucement mais goulûment, il remonte de jour en jour. Les douleurs sont atroces, et la compétence de Fagon nulle, qui préfère le jeu de la cour.

Le 26, nos Pieds nickelés de la médecine passent à l'œuvre. À coups de curette, de couteau et de pointe, ils triturent la jambe du roi, un peu comme d'autres mélangeraient un steak tartare. Ils vont jusqu'à enlever la chair jusqu'à l'os, laissé à nu ! L'état du roi s'aggrave, alternent périodes de conscience et états fébriles, ce qui correspond en fait aux décharges de germes dans son corps. Le 28 août, les courtisans et les médecins s'engueulent : faut-il continuer l'élixir, car le roi délire ? Leurs remèdes sont inutiles : Louis XIV a une méningite.

De l'autre côté, les religieux se battent entre différentes obédiences et croyances afin de préparer la mort du monarque. Le roi est Dieu, et les curés veulent avoir l'exclusivité de sa mort.

Le 29 août, un inconnu, un Provençal, apporte un remède miracle ! Sans doute à base d'alcool. Cela réveille un court instant le roi, et c'est tout. Rien ne peut plus empêcher la gangrène de progresser. Le roi meurt d'un choc septique à 8 h 15 le 1er septembre 1715.

Selon la coutume, tout un aréopage de personnalités, évêques, médecins, soldats, gentilshommes, gens de la faculté de médecine, est convoqué pour l'ouverture du roi : son autopsie. Le 2 septembre, à 8 heures, elle débute à Versailles. Tout le côté gauche est gangrené du pied à la tête. Et le côté droit en différents endroits... Le ventre est bouffi. L'ouverture du « coffre » (ventre) montre des signes de putréfaction et d'inflammation chronique. Les reins sont assis dans leur état naturel ; on a trouvé seulement une petite pierre de pareille grosseur à celle qu'il a par les urines rendue plusieurs fois pendant sa vie. Les valves cardiaques sont calcifiées, tous les muscles de la gorge gangrenés. Puis la tête est coupée en deux. « À l'ouverture de la tête, toute la dure-mère s'est trouvée en adhérence au crâne, et la pie-mère avait deux ou trois taches purulentes. » Leur conclusion rejoint enfin celle de Fagon, qui, pour une fois, ne s'est pas trompé : le roi est mort ! Gangrène diabétique, ajoutent-ils.

Après l'autopsie, les médecins ont droit à un copieux repas, sans les chirurgiens. (Souvenez-vous que ce duel entre médecins et chirurgiens dure encore.)

Puis la dépouille et les morceaux sont répartis. Les entrailles sont scellées dans une urne et déposées à Notre-Dame de Paris. Le cœur du roi est mis dans un reliquaire à l'église Saint-Antoine. Quelques années plus tard, un peintre en utilisera la moitié pour fabriquer de la couleur ! La seconde moitié sera rendue à Louis XVIII. Le reste du corps de Louis XIV est embaumé, posé dans un linceul, mis dans un cercueil de plomb soudé puis dans un cercueil en chêne. Il reposera avec les autres rois à Saint-Denis avant de finir avec les autres squelettes dans l'ossuaire collectif lorsque les révolutionnaires saccageront la basilique.

Louis XIV est mort à soixante-seize ans.

LOUIS XV

Le virus révolutionnaire

Versailles, 1774. La France dans le château, et le peuple partout ailleurs. La France, c'est le roi et sa cour, faite de noblesse et de consanguinité. Mais le peuple comme la cour meurent de la première cause de mortalité de l'époque : le virus de la variole, ou petite vérole, ou vérole, selon les stades de la maladie. La transmission respiratoire fera plus de soixante millions de morts au cours du siècle, tuant un malade sur trois. Il n'existe aucun traitement et la médecine ne peut que contempler le drame de cette épidémie.

Louis XV fut enfant roi. Fils du duc de Bourgogne, le petit-fils de Louis XIV, et de Marie-Adélaide de Savoie, il est l'arrière-petit-fils du Roi-Soleil. Son père meurt alors qu'il a deux ans. Le fils de Louis XIV étant mort de la petite vérole en 1711 et une hécatombe à la cour font que Louis XV dit le « Bien-Aimé » devient roi à l'âge de quatorze ans. Il a été élevé dans une survalorisation de sa personne et préparé à régner tel un dieu. Son règne ressemble à une partouze et à une fiesta démesurées. Le roi a sa maîtresse attitrée, la comtesse du Barry, qui fomente des coups politiques – tout en s'occupant des testicules royaux. Mais Versailles abrite une cour parallèle, bien fidèle, de bactéries, de parasites et de virus. Toute la cour s'échange les mêmes maladies au fil des épidémies. Sans aucune hygiène ni protection, Versailles est une culture microscopique : ça tousse, ça crache, ça pisse, ça chie partout, et tous les germes possibles : de la tuberculose, de la syphilis et, surtout, de la petite vérole. La tueuse. Personne ne songe à la Révolution, mais les germes, à l'ouvrage, font office de révolte politique et s'apprêtent à tuer le roi.

Le jeune Louis eut une éruption à l'âge de dix-huit ans, et l'idolâtrie du roi-dieu aidant, la cour le croyait protégé de la variole, mais en réalité il ne l'avait pas eue ! Petit déjà, il en avait manifesté des signes, mais il s'en était sorti après avoir été soustrait aux médecins par sa gouvernante bienveillante. Alors il poursuivait sa vie de grand baiseur, à couilles rabattues, lancé dans une course permanente avec ses hormones.

Le 26 avril 1774, le roi soupe au Petit Trianon. D'un coup, il ne se sent pas bien. Son chirurgien, La Martinière, n'y comprenant rien, dit : « Sire, c'est à Versailles qu'il faut être malade. » Le roi, malgré son refus, est mis dans sa voiture et repart au château au triple galop. C'est le début, la phase d'incubation. Une fièvre doublée d'angoisses qui n'inquiètent pas plus que cela, car le roi est d'une nature dépressive.

Il a mal au dos, à la gorge, et il vomit. Pour le calmer, on lui donne à boire des breuvages opiacés, qui probablement le font dormir.

Le 29 avril, Versailles se réveille avec les dernières gelées et le soleil du printemps. Au loin, dans les magnifiques jardins de Le Nôtre, les chevaux laissent leur souffle créer de petits nuages éphémères, le soleil illumine les bassins. Or Versailles se lève pour un drame. Les médecins se pressent au chevet de Sa Majesté, qui roupille et bout doucement de fièvre dans son lit royal. Lorny, médecin du régent, Bordeu, médecin de Madame du Barry, et Lassone, médecin de la dauphine Marie-Antoinette, tous persuadés de posséder un quelconque savoir scientifique, décident : des saignées ! Trois palettes, soit plus de quatre cents grammes de sang, sont enlevées au roi. Puis ils le font vomir à coups de sirop émétique. Le supplice continue par la pose d'emplâtres « vésicatoires », qui étaient censés attirer les humeurs morbides... Inutile de dire que cela n'arrange pas du tout la santé du Loulou, qui ne peut qu'être au plus mal avec une telle perte sanguine.

Au soir du 29 avril, un des médecins vient lui donner à boire. À l'approche du chandelier, il voit des petites rougeurs sur le visage de la France. Et là, c'est comme si le royaume s'écroulait en une seconde ! Les médecins sont accablés : le monarque a un début de variole. La nouvelle est alors transmise à la famille, pour l'écarter du roi, qui devient contagieux. Dans un vent de panique, il faut assurer la continuité politique du royaume. « La petite vérole du roi est déclarée », crie-t-on au coucher du soleil à la cour.

Mais Louis XV est isolé, et maintenu dans l'ignorance de sa maladie. On lui fait croire qu'il a la suette militaire, une maladie bénigne. La variole va-t-elle prendre une forme discrète ou maligne, confluente ou mortelle, ou invalidante ?... Les doutes et interrogations sur les conséquences politiques qu'il faudrait affronter vont bon train. La comtesse du Barry se tient informée. Une sale rumeur laisse même penser que c'est elle qui a contaminé le roi, en lui ayant fait porter la petite fille d'un paysan dans son lit pour lui remonter le moral !

Le 2 mai, Louis XV ne sait toujours pas ce qu'il a, mais ses proches, dont le futur Louis XVI, sont écartés. Sa fille Adélaïde vient le voir et lui prend la main. Mais le roi est seul dans son agonie, et, d'heure en heure, les boutons se rapprochent pour ne plus former qu'une énorme croûte, comme un gratin trop cuit. « Voyez ma main, mon bras, ils sont recouverts de boutons. »

Pour soigner cela, il n'y a alors rien. La variole change la peau en une sorte de lasagne géante. Les médecins ne font que précipiter la mort et accroître la souffrance par les prétendus traitements qu'ils administrent. Par exemple, ils arrosent les boutons d'alcool ou de vinaigre. Inutile d'imaginer le calvaire du malade, qui se retrouve sans un centimètre de peau saine, dans des douleurs atroces, dégoulinant tel un grand brûlé, couvert de pustules. La maladie s'attaque aussi aux muqueuses des yeux, des poumons et du tube digestif, provoquant des fistules anales épouvantables. Bien souvent, l'atteinte de la gorge finit par étouffer le malade qui, dans une agonie aussi effroyable qu'inéluctable, voit arriver sa fin.

Pour soulager le roi malgré tout, les médecins adoptent la méthode « rafraîchissante » : Sa Majesté, recouverte de ses boutons, est sur un lit à baldaquin et une alcôve pleine de courants d'air. Cette méthode permet de calmer la douleur et de sécher les suintements de la peau. Mais le roi suinte tellement qu'il faut lui changer ses draps en permanence, ce qui le fait souffrir atrocement. Il se défigure et sa peau se modifie d'heure en heure.

Finalement, le visage de Louis XV devient comme une seule et même pustule géante, suintante et croûteuse. Le 8 mai, la fièvre recommence de plus belle, annonçant le choc septique majeur. Tout le monde continue à cacher la vérité au roi, mais à deux ou trois reprises il confie au duc de Bouillon : « C'est la petite vérole. » Personne ne lui répond...

Le 9 mai, Robert Sutton, un médecin de Londres qui, avec son père, a inventé l'inoculation, prémices du vaccin contre la variole, arrive à Versailles. Mais la jalousie d'un des médecins du roi, Lemonnier, fait qu'il ne peut rien entreprendre. Et d'ailleurs, qu'aurait-il pu faire ? Louis XV n'est plus qu'un bouton immense prêt à exploser.

À l'aube du 10 mai, l'agonie se termine. Le roi meurt en public dans sa chambre personnelle. La variole a tué une tête couronnée, avant la Révolution.

On ne l'autopsie pas par crainte d'une contami-
nation : selon le chirurgien La Martinière, « s'il est
ouvert, aucun de ceux qui y auront assisté ne sera
vivant dans huit jours ».

Louis XV et ses germes sont morts à soixante-
quatre ans.

VOLTAIRE
Numéro 1778 V

Paris, 1778. Les rues sont étroites et sombres, avec des nappes successives d'odeurs de fumée, de pisse, de merde ou d'animaux. Il faut faire attention en marchant, il y a de la boue mélangée à des écoulements immondes au milieu des ruelles. Le peuple balance tout et n'importe quoi par les fenêtres. Le bruit des sabots des chevaux qui claquent là où il y a des pavés se mélange aux hurlements, mais aussi aux voix des conteurs. Dans cette cacophonie, le vacarme du travail des artisans a du mal à être perçu. Quelques charrues croisent de rares carrosses. Pour sûr, ce siècle des Lumières ne brille pas dans les rues, et Paris est aussi sale que le peuple. Parfois, on bute sur un cadavre ou un nouveau-né par terre. Il y a des incendies, comme celui qui a éclaté à l'Hôtel-Dieu le 30 décembre 1772, si spectaculaire que toute l'île Saint-Louis en parle encore tant il a duré de jours.

Les hôpitaux en sont à leur préhistoire. Ils ne sont là que pour héberger la misère, recevoir les enfants trouvés que les femmes pondent et dont elles ne veulent pas. La religion y règne en maîtresse et s'occupe de tout au nom de la Croix et de Dieu. Les médecins sont formés par des pseudo-écoles de médecine, qui sont dissociées de la chirurgie. Les toubibs vont voir les malades chez eux. Le système de santé est proche de la sorcellerie et n'a rien de scientifique.

Autour du Louvre, la rumeur court : Voltaire est revenu de Ferney, car il serait au plus mal. Voltaire est connu et populaire, de la cour du roi au peuple, qui frémit déjà d'idées révolutionnaires. Il est connu de Paris à Moscou, des riches et des pauvres. La religion ne l'aime pas car le philosophe l'a remise en cause : les intégrismes n'apprécient jamais la vérité ni l'évolution de l'intelligence. Plus d'une fois, Voltaire a été très malade. Par exemple en 1748, quand un épisode digestif a failli lui coûter la vie. Il vomissait et se vidait sans cesse, sans doute une pathologie infectieuse. Son refus des traitements des médecins – des lavements délirants et les saignées ! – l'a sauvé. Car enlever du sang et aggraver les diarrhées aurait été un moyen de le tuer par déshydratation et spoliation sanguine.

À quatre-vingt-trois ans, Voltaire a largement dépassé l'espérance de vie de ses contemporains. Malgré sa grande fatigue et la fièvre, il rentre à Paris en carrosse, faisant halte toutes les deux heures pour reposer les chevaux. Les douleurs sont plus vives à chaque tour de roue, chaque trou et caillou. Le voyage n'arrange pas sa maladie, probablement infectieuse avec aggravation cardiaque. Voltaire tousse et crache beaucoup, ce qui correspond à la tuberculose, si fréquente alors. Mais, surtout, il a mal dans le bas du dos et souffre d'épouvantables rétentions d'urine, signe évocateur d'une infection du rein. Il réclame à boire, mais son médecin ne veut rien lui donner : un principe de l'époque ! En revanche, il a toute sa tête et ne présente aucun signe de démence, contrairement à ce que raconteront son médecin, Théodore Tronchin, les curés dans les différents écrits qu'ils laisseront et les témoignages de Mme de Villette, sa fille adoptive qui l'héberge, et de Mme Denis, sa nièce dont il a fait sa gouvernante et sa compagne. Ces deux femmes sont incultes, cupides et aigries. Elles vont devenir ses tortionnaires.

Sa cousine s'empresse de signaler sa présence à Paris et son état moribond. Lui voulait mourir à Ferney. Ce sera Paris. Sa famille va en profiter et tenter de lui faire accepter la religion, pour être inhumé et avoir une messe. Il refusera jusqu'au bout. Il écrit même au clergé pour bien préciser qu'il a toute sa conscience et qu'il ne croit toujours pas en Dieu, malgré l'angoisse de la mort.

L'agonie de l'illustre philosophe va se dérouler dans une cabane au fond de la cour d'un hôtel particulier, à deux pas du pont Royal, en face du Louvre. Mme de Villette décide de faire garder le philosophe par une cuisinière et une garde-malade qui picolent et jacassent sans cesse. Son médecin Tronchin vient le voir et lui procure de l'élixir d'opium pour calmer ses douleurs, ce qui explique son état comateux décrit par certains témoins. Le roi dépêche ses médecins qui, le jugeant à l'agonie, ne feront rien.

Abandonné, il est même présenté à des visiteurs qui ont payé pour voir la déchéance du maître. Certains écrits rapportent qu'il mangeait ses excréments et hurlait. Tout n'est que bobards destinés à discréditer le défenseur de l'affaire Calas. La religion se venge. Il ne lui est prodigué aucun soin, il n'est même pas lavé, lui qui était si propre. On ne lui donne ni à manger ni à boire. Sans doute la dénutrition et la fièvre le poussent-elles à un état confusionnel, qui sera interprété par la suite comme un accès tardif de foi. Personne ne l'aide dans sa terrible agonie. Car il faut que Voltaire souffre, lui l'impie qui refuse d'admettre que la croyance permet une mort sereine.

Il ne lui reste que la peau sur les os. Voltaire est terriblement angoissé et Tronchin lui dit : « Je ne puis rien, monsieur, il faut mourir. » Ses deux parentes en profitent pour tenter de grappiller un peu de célébrité à l'ombre de sa mort en racontant n'importe quoi. L'agonie est longue comme l'est celle des patients atteints de maladies lentement évolutives.

Il reste conscient jusqu'au dernier moment dans sa cahute au fond de la cour. Les médecins viennent le voir une dernière fois le 30 mai vers 22 heures. Ils lui appuient sur les tempes et il réagit en hurlant : « Laissez-moi mourir ! » Jusqu'au bout, Voltaire tient tête à la vie, et donc à la mort. Voltaire pousse un cri atroce... est-il vrai, est-il faux ? ce cri renforce la légende. Le 30 mai 1778, Voltaire abandonne la vie, et l'humanité perd une lumière.

Comme a réussi à le reconstituer Jean Orieux dans sa biographie[1], les premiers jours qui suivent sa mort ne sont pas tristes. Le surlendemain du décès, un chirurgien, un pharmacien et un aide s'occupent de son cadavre : ils le découpent, répandent ses viscères, enlèvent les reins et découvrent l'infection. C'est une sorte de rituel à l'époque de prélever des bouts des cadavres et de les garder. Ils ouvrent aussi son crâne, sans doute pour voir comment le cerveau d'un génie a pu tenir dans une aussi petite boîte crânienne. Le pharmacien le fait même bouillir pour le conserver. Ce cerveau dans son bocal se baladera pendant des années chez les descendants de l'apothicaire avant de disparaître dans une salle des ventes dans les années 1870.

Mme de Villette exige d'avoir le cœur et le gardera dans un étui d'argent. Il finira par être donné à l'État et Napoléon III le fera porter à la Bibliothèque nationale.

Après ces prélèvements, la petite équipe habille la dépouille, fait tenir le crâne fendu à l'aide d'un bonnet et entoure le cadavre de linge. Momie Voltaire est ensuite assise dans un carrosse et emmenée en Champagne, car aucun religieux n'en veut à Paris. À l'abbaye de Sellières, près de Romilly-sur-Seine, il est allongé dans un cercueil fait de mauvaises planches et posé sous une dalle. Sur sa pierre tombale ne figure alors que « 1778 V ». Il restera là jusqu'à ce que la Révolution le déterre pour le ramener vers

---

1. Jean Orieux, *Voltaire*, Paris, Flammarion, 1999.

la capitale dans un cortège festif. En sortant le squelette, ils constatent qu'une partie du pied gauche a
été enlevée. Le 11 juillet 1791, la procession dépose
le cercueil dans la crypte du Panthéon.

Aujourd'hui, Voltaire repose-t-il toujours dans son
cercueil ? Rien n'est moins sûr. En 1814, des ultra-
religieux n'auraient pas supporté que le philosophe
impie soit inhumé dans une ancienne église. Une nuit,
ils se seraient introduits dans la crypte, auraient violé
les sépultures de Voltaire et de Rousseau, volé les
restes et les auraient jetés du côté de Bercy avec de
la chaux ! Cinquante ans plus tard, la commission
d'enquête mandatée par l'empereur aurait découvert
les cercueils vides. Les deux squelettes auraient été
dispersés à l'emplacement d'une halle aux vins. Il ne
nous reste donc que le cœur de Voltaire, qui finalement est partout et éternel, tellement ses morceaux
sont dans tous les jardins. Alors cultivons-les !

Voltaire est mort à quatre-vingt-trois ans.

CHAMFORT
Dépression et Révolution

Paris, novembre 1793, la tempête révolutionnaire continue. Sébastien Roch Nicolas de Chamfort est écrivain, poète et journaliste. Il vivait très heureux avec Marthe Buffon, mais elle meurt dans ses bras au printemps de 1783. Il ne s'en remet pas, en témoigne ce poème :

Tes yeux fixes, muets, où la mort était peinte,
D'un sentiment plus doux semblaient porter
                              [l'empreinte,
Ces yeux que j'avais vus par l'amour animés,
Ces yeux que j'adorais, ma main les a fermés !

Chamfort souffre du mal de vivre : il est déprimé.
Alors il investit dans les idées de la Révolution. Il est très bon à l'écrit mais mauvais à l'oral, et n'a pas réussi à être élu à l'Assemblée législative. N'appréciant pas Robespierre, il rejoint le camp de la Gironde. En mai 1792, il est rédacteur en chef de *La Gazette* puis est nommé à la Bibliothèque nationale.

En juillet 1793, il ose se réjouir en public de la mort de Marat. Il est dénoncé et emprisonné. Enfermer un poète dans la prison des Madelonnettes, à Paris, c'est épouvantable. Avec son terrain probable de dépression, il a complètement craqué. Dans ces geôles sont emprisonnés catins, ivrognes et faux-monnayeurs. Il a vu l'horreur des coulisses de la Révolution. Il n'arrête pas d'écrire au Comité de sûreté générale. Il n'est resté que quarante-huit heures en prison, mais il est totalement désespéré. Il jure de ne jamais y retourner.

La Terreur a tué l'idéal humaniste dont Chamfort rêvait. Il sort de prison, mais il est surveillé. Il a perdu toute illusion et semble perdu dans ce Paris devenu l'antichambre de l'enfer. Le 15 novembre 1793, il apprend qu'il va bientôt de nouveau être arrêté. L'idée même de retourner en prison le fait basculer. Il n'a plus la force. Chamfort est dans un état dépressif majeur et il passe à l'acte pour en finir.

Le soir, après le dîner, il demande à sa gouvernante de préparer ses paquets. Il s'enferme dans son cabinet de travail. Il sort un vieux pistolet. Il a dû cogiter son geste. Il pose lentement le canon sur la tempe droite.

Il appuie sur la détente et la balle part. Mais pas là où il voulait. Le poète a mis le pistolet sur sa tempe, mais dans l'inclinaison du bras, et la balle a pris un trajet oblique de la tempe vers la face, sans toucher le cerveau, qui est protégé par le massif facial. Le choc, le souffle et la chaleur emportent son nez, sa mâchoire supérieure, sa mâchoire inférieure et son œil droit. La moitié de son visage tombe sur son cou, avec une belle hémorragie et une douleur atroce.

« Étonné de vivre », il s'empare d'un rasoir au manche d'ivoire. Son désespoir est devenu une force de rage contre lui-même. Il tente de sectionner les vaisseaux du cou et farfouille. Mais les gros vaisseaux sont bien protégés, et il n'arrive pas à couper ses veines ni ses artères. Peut-être manque-t-il déjà de force, avec tout ce sang qui se répand dans son cabinet de travail. Il aurait dû faire médecine ou voir quelques dissections anatomiques ! N'y tenant plus, il décide de se porter plusieurs coups au cœur avec un deuxième rasoir.

Sans doute ne sait-il pas non plus où ce dernier se trouve exactement. Il taillade mais ne parvient pas à l'atteindre, ni l'aorte. Il bute sur les côtes. Il se blesse mais ne meurt pas. Certains voulaient garder la vie et perdaient la tête sur la guillotine, et lui qui veut la quitter est chez lui tel un cochon mal saigné à hurler de douleur tout en perdant la tête.

Alors il essaie de s'entailler les jambes, les cuisses, les poignets. Il tente de se couper les deux jarrets. Sa gouvernante essaie d'ouvrir la porte. Une flaque de sang s'écoule du seuil. Elle hurle à son tour. Un autre bibliothécaire arrive. Le spectre de Chamfort ouvre enfin. Il est livide, trempé de son sang et gémissant. Ils compriment les plaies comme ils peuvent avec des linges et nettoient le sol à grande eau, lavent les rasoirs puis préviennent le commissaire. On appelle enfin un chirurgien qui fait ce qu'il peut. À la question « Par qui avez-vous été blessé ? », il répond : « Par moi-même... N'ayant rien de plus en horreur que d'aller pourrir en prison et de satisfaire aux besoins de la nature en présence et en commun avec trente personnes ».

Le larynx béant et à l'air libre bouge avec sa respiration. Le chirurgien a pansé et traité les vingt-deux plaies, sans doute avec de l'eau, mis de l'étoupe sur la moitié du visage partie en lambeaux. Comme la balle demeure introuvable, il suppose qu'elle est toujours dans la tête (ce qui est peu probable) et ordonne que Chamfort reste immobilisé sous peine d'hémorragie mortelle. Le poète a gagné : il n'ira pas en prison. Il est content : « Je me suis fait un mal horrible, et me voilà encore ; mais j'ai la balle dans la tête, c'est là le principal. »

La maladie psychiatrique n'avait plus qu'à le dévorer tout cru. Il raconte son suicide à son biographe et ami Guinguené accouru là : « En l'honneur de Sénèque, j'ai voulu m'ouvrir les veines, mais il était riche, lui ; il avait tout à souhait un bain bien chaud. » Comble de l'ironie, Chamfort comprend qu'il s'est trompé sur la prison qui l'attendait. « Ah, ah ! je croyais qu'il fallait retourner aux Madelonnettes. Si j'avais su que ce fût au Luxembourg, je ne me serais peut-être pas tué. Mais au reste, j'ai toujours eu raison de faire ce que j'ai fait. »

Mutilations répétées, acharnement contre son propre corps : on reconnaît bien là le suicide lié à la pathologie dépressive.

Les juges de la Révolution renoncent à l'arrêter comme pour prolonger ses souffrances et le font garder par quatre sans-culottes pour qu'il ne se suicide pas de nouveau. Il n'écrit plus. Il est devenu le couteau qui va le tuer, sa propre guillotine. Il ne mange plus que liquide et bouillie. Ses douleurs sont incessantes, et personne ne peut l'aider. Son remplaçant, le nouveau bibliothécaire, se vexe qu'il n'ait pas lu son livre contre le suicide et le laisse seul.

L'agonie va durer jusqu'en avril, avec des chirurgiens qui l'opèrent de ses abcès dans des souffrances atroces. Chamfort est totalement défiguré. Il respire mal et infecte ses poumons par sa sorte de trachéotomie. « Sans moi, je me porterais à merveille », répète-t-il. Il vend tous ses biens au fur et à mesure. Ses gardes finissent par le laisser. Il meurt le dimanche 13 avril 1794, quelques jours après que Danton et Camille Desmoulins ont été guillotinés. Il est enterré dans l'indifférence générale. Avec lui, le suicide et la dépression entrent dans l'histoire de la Révolution.

Chamfort est mort à cinquante-quatre ans.

DANTON ET ROBESPIERRE
Tête-à-tête

Paris, 5 avril 1794. Les yeux de Danton regardent un Paris qui bouleverse le monde. Un Paris qui a mis le feu à la France depuis cinq ans, et qui va le tuer comme il tuerait son père, tel un adolescent en rut. L'éveil à la démocratie se fait dans le sang. Le monde des dictatures monarchiques est au début de sa fin. Sur son échafaud, Danton est à quelques minutes de la mort. Il contemple un Paris du Moyen Âge et il voit un avenir de modernité et le futur politique de la nation. La Révolution n'a pas été une grande allégresse, la mort était partout. Paradoxe de cette période qui voit naître les droits de l'homme en même temps que la guillotine.

La folie de tuer propre à l'homme l'a toujours conduit à rechercher le meilleur moyen de donner la mort. Couper la tête est une pratique vieille comme le monde, et efficace, la tête reposant sur un petit assemblage d'os du rachis cervical sur lesquels le crâne est posé, le tout entouré des vaisseaux et des muscles. Les bourreaux avaient quand même des difficultés, parfois, à séparer la tête du reste du corps, devant s'y reprendre à plusieurs reprises. Pour sûr, les suppliciés s'apercevaient de ce qui allait arriver avec tout le rituel autour de la mise à mort. Pour sûr, ils sentaient la lame, surtout si le geste ne tuait pas du premier coup. Les révolutionnaires voulaient réformer la peine de mort, non pas pour être agréables à la victime mais parce que la décapitation était, elle aussi, appliquée en fonction de la richesse du condamné. Un noble était décapité à l'épée bien aiguisée, les roturiers à la hache, les pauvres perdaient lentement leur tête avec une lame émoussée. Le 1er décembre 1789, devant l'Assemblée constituante, le docteur Guillotin, médecin, explique devant les députés, au nom du principe de l'égalité même dans le geste du bourreau : « Le couperet tombe comme la foudre, la tête vole, le sang jaillit, l'homme n'est plus. » Son collègue, le docteur Louis, a modernisé la machine à tuer en disant : « Je l'ai regardée comme un acte d'humanité, je me suis borné à rendre oblique la forme du couteau pour qu'il puisse couper net et atteindre son but. » Le 20 décembre 1792, la « guillotine » est adoptée par l'Assemblée législative, les députés votant que « tout condamné à mort aura la tête tranchée ». Et ce sont bien des médecins qui ont inventé la machine à faire cette besogne.

Le chirurgien Louis donne alors ses instructions pour la fabriquer. Elle est confectionnée par un facteur de clavecins allemand, Tobias Schmitt, et son prix est celui d'un « beau clavecin français » – dont elle a la couleur traditionnelle, le rouge. Avec des confrères médecins, ils ont fait des essais sur des moutons puis sur des cadavres de Bicêtre, qui avant d'être un hôpital était une prison et un asile d'aliénés. Ils utilisent la première fois la guillotine pour exécuter un voleur de grand chemin, Nicolas-Jacques Pelletier, le 25 avril 1792. Nul ne vient se plaindre du succès de l'invention et assurément pas le condamné ! Les quatre années suivantes, le « grand rasoir national » sera utilisé à un rythme effréné, surtout pendant la Terreur. La lame coupe rapidement la tête au niveau des cervicales. Ainsi, toute la circulation et les influx nerveux sont arrêtés. Les vaisseaux artériels, alors béants, laissent couler, pour quelques battements de cœur encore, le sang en geysers plus ou moins grands. D'où les torrents de sang qui coulaient lors des exécutions et abreuvaient les sillons.

Danton a vu la tête du roi Louis XVI tomber et aujourd'hui c'est lui qui est sur l'échafaud. Il entend la haine du peuple assoiffé de folie meurtrière. Un véritable spectacle de mise à mort, sordide. Tous les condamnés à mort ont éprouvé cette angoisse absolue d'arriver devant la machine et de sentir la mort. Ils sont préparés, leurs cheveux lavés et coupés, leur cou bien dégagé. Puis ils montent dans une charrette qui les emmène vers la guillotine, près des Tuileries. On les amène en groupe, ils attendent leur tour au pied de l'échafaud. Ils entendent tous les bruits, la planche qui tombe, l'autre qui claque pour immobiliser la tête et le « slack » du couperet, le craquement de la potence, ils voient la tête tranchée, le sang qui jaillit, le corps coupé et les hurlements de haine d'une foule folle. Ils sont submergés par la peur et le fatalisme. Certains lancent un dernier bon mot, paraît-il – il n'y a nulle preuve qu'ils aient été prononcés.

Georges Jacques Danton est un épicurien maniaco-dépressif, un peu corrompu, un jouisseur. Un gars gros et truculent, aimant les bonnes tables et le vin. Il excelle dans le rôle de tribun. La Révolution a été pour lui un espace de désinhibition. Il négocie, il intrigue, il excelle dans les débats politiques d'une société démocratique naissante. C'est le Paris moyen-âgeux des petites rues, du Procope pas loin de chez lui, des salons et des tavernes pour les rendez-vous secrets... Mais l'amour tient Danton, et son drame est d'avoir perdu sa femme d'une hémorragie lors de la naissance de leur dernier fils.

Pour se remettre de la mort de Gabrielle, il épouse Louise, sa voisine du dessus, âgée de seize ans, dont il était le confident. C'est plus simple ! Elle avait même aidé sa femme à accoucher et lui avait promis de s'occuper de ses enfants. Chose promise chose due, en quelque sorte. Danton est fou amoureux de Louise et flâne au rythme de sa vie, délaissant un peu la chose publique. Il alterne activités politiques et périodes de grand désespoir, préférant s'isoler à la campagne. Puis il revient sur l'avant-scène. Il fait vibrer les foules et les assemblées, parfois même il les fait rire. Mais la politique devient sa terreur, et ses potes d'hier signent son mandat d'arrêt le 30 mars 1794. La révolution n'est jamais une promenade de santé pour un peuple et sûrement pas une garantie de paix. Danton et ses amis se font arrêter, juger et condamner.

Le procès est terrible, il sera sa dernière scène. Danton exulte dans de grands discours politiques. Il se bat avec l'énergie de l'espoir, plus forte que le désespoir grâce à son courage politique. Mais la peur et la foule, qui hurle, anéantissent ses espérances, et surtout son amour pour Louise lui échappe. Il est accusé avec Delacroix, Desmoulins, Philippeaux, Hérault de Séchelles et Westremann d'avoir pris part à une conspiration pour la restauration de la monarchie. Robespierre a bien prévu la mascarade et la condamnation à mort.

La charrette avance dans les ruelles de Paris et, devant la maison de Robespierre, Danton hurle : « C'est en vain que tu te caches ! Tu y viendras. Et l'ombre de Danton rugira de joie dans son tombeau quand tu seras à cette place ! Ta maison sera rasée, on y sèmera du sel. »

Sur la place de la Révolution, le bourreau se dénomme Sanson et appelle les condamnés les uns après les autres. L'échafaud craque, il y a le bruit des cordes, du fer, de la lame, et tout ce sang... Pas de cris, car la lame tranche tout et ne permet pas de crier. Quatorze fois, Danton entend les trois coups qui frappent la mort de ses amis. La foule hurle et s'amuse de voir Danton sur la potence.

Il reste droit et, avant de se faire couper la tête, dit au bourreau : « N'oublie pas surtout, n'oublie pas de montrer ma tête au peuple : elle est bonne à voir. » Puis les corps sont entassés dans une charrette, les têtes dans une boîte en bois, et Danton, en deux morceaux, est jeté dans une fosse commune avec les autres, au cimetière des Errancis, dans un champ du faubourg de la petite Pologne qui correspond aujourd'hui au 97 de la rue Monceau à Paris.

Georges Danton est mort à trente-cinq ans.

Paris fulmine et, bien vite, les amis de Danton qui ont gardé toute leur tête se battent contre leur principal opposant, Robespierre. Il reste le seul homme de la Révolution. Il attire toutes les espérances et toutes les haines. Caractère à l'opposé de Danton et au physique maigre et raide, Robespierre est sans doute l'incarnation d'une forme de paranoïa, tout en conservant un regard critique sur la peine de mort de son époque. Danton coupé en deux, la tempête politique balance tout. Mais Robespierre continue à vouloir diriger la Révolution vers un épanouissement des âmes. Il est croyant. Il veut que les rapports des idées religieuses et morales se fondent dans les principes de la République. Alors que la Révolution a bousculé le clergé, il a créé une fête de l'Être suprême où il apparaît comme un grand prêtre ! Le but pour lui est politique : réconcilier et organiser le gouvernement de la France, avec une république pure, égalitaire et libre.

Comme Robespierre a fait guillotiner à peu près tout le monde, ceux qui sont encore entiers s'inquiètent de savoir où va aller leur tête. Après des débats houleux, son arrestation est finalement prononcée. Il est arrêté avec son frère le 27 juillet 1794, à 2 heures du matin, à l'hôtel de ville de Paris. L'agitation est vive. Robespierre a-t-il tenté de se suicider ou a-t-il été touché par une balle ? Toujours est-il que le coup lui arrache une partie de la mâchoire inférieure droite. La souffrance est atroce, son sang se répand sur ses vêtements. Son frère, lui, saute du deuxième étage. Il tombe sur les pieds et se brise les deux jambes. Sans doute des fractures bimalléolaires des chevilles ou des genoux. Son ami Couthon, handicapé des membres inférieurs, a rampé sous une table. Lui aussi est arrêté. François Hanriot a été rattrapé dans les égouts. Il a reçu un coup de baïonnette dans l'œil, et toute l'orbite a été arrachée.

Ils finissent tous au Tribunal révolutionnaire et, sans procès, sont à leur tour condamnés à mort.

Le 28 juillet 1794, à 16 h 30, ils descendent les marches de la Conciergerie puis longent les quais dans une charrette bringuebalante sous les huées du peuple. Les yeux fermés, Robespierre ne dit rien. Il n'est déjà plus là et s'évade comme il peut face à cette violence. À 18 h 30, ils arrivent sur la place Louis-XV, devenue place de la Révolution, là où Danton a été guillotiné. Robespierre tourne le dos à l'échafaud. Il se tient la mâchoire et les pansements sales qu'il a sur le visage. Il souffre terriblement. Il entend le couperet fendre le cou de son frère, de ses amis. Des jets puissants de sang des carotides et le flot lent des jugulaires jaillissent en à peine quelques minutes du corps des suppliciés. La peur est en lui.

Il a dû vivre son cauchemar, voyant la fin de tout ce qu'il avait bâti... Et tous ses amis devenus ses bourreaux. À trois mois de distance, il vit la même chose que Danton.

Il monte seul sur la potence. Le bourreau lui arrache ses pansements. Il hurle à la mort, qui est déjà là. Sur sa face, la plaie béante et la désarticulation de la mâchoire laissent tout pendre. Les bourreaux le poussent illico et sans ménagement sur la bascule, et la lame le coupe en deux. Sa tête est exhibée par le bourreau. La foule applaudit. Un coffre en bois transporte les têtes et les corps sur la charrette, et le tout est balancé dans le cimetière des Errancis avec de la chaux par-dessus. Exactement comme pour Danton ! Le corps de Robespierre disparaît à jamais.

Maximilien de Robespierre est mort à trente-six ans.

L'AMIRAL NELSON
Le coup de Trafalgar

Trafalgar, en mer Méditerranée, 36° de latitude nord, 6,25° de longitude ouest, le 21 octobre 1805. Nous voilà en pleine mer, ne vomissez pas trop, nous devons faire bonne figure, mesdames, messieurs, à vos postes de lecture, la bataille va commencer. L'amiral Nelson est à la tête de la flotte royale du Royaume-Uni. Face à lui, la flotte franco-espagnole de Napoléon. L'empereur des Français fait manœuvrer ses navires de guerre vers la Manche pour envahir l'Angleterre. La flotte britannique doit l'en empêcher.

Nelson, à bord du HMS *Victory*, fait route et positionne ses vingt-huit vaisseaux pour affronter les trente-trois bateaux ennemis. « Je ne serai satisfait qu'à vingt-cinq navires français détruits », dit-il à ses commandants. Il écrit à sa flotte ce qui deviendra une devise : « L'Angleterre attend que chaque homme fasse son devoir. » Le temps de manœuvrer et, vers 11 h 45, la bataille commence. Les tueries en eaux profondes étaient réglées comme pour une danse et se déroulaient toujours de la même manière : les ennemis se mettaient sur deux lignes se faisant face, remontaient le vent en canonnant, puis demi-tour et deuxième feu. Tout dépendait de la manœuvre, de la prise de vent, du nombre de canons, de la dextérité des canonniers à recharger rapidement et de l'étendue du carnage lors de l'abordage.

Mais Nelson ne fait pas comme d'habitude et dirige sa flotte en deux colonnes et vent arrière. Il rompt les usages et les tactiques habituelles. Il fonce en plein milieu de la flotte napoléonienne. Les équipages de la Royal Navy sont très entraînés, disciplinés, les bateaux solides et lourdement armés. Les navires ont trois ponts, dominant les bateaux français qui n'en ont qu'un. Enfin, les caronades sont redoutables ! Ah, vous ne savez pas ce que c'est ? Moi non plus, alors descendons donc dans les ponts ! Nous voyons d'énormes canons, bourrés de mitraille, des hommes en sueur, et une odeur de bois, d'humidité et de poudre, avec de la fumée partout. La mitraille a pour objectif de cribler les équipages adverses de ces projectiles. La flotte française n'est pas très entraînée, et les équipages sont jeunes et peu encadrés. Quant aux navires espagnols, ils sont anciens et très fragiles.

Nelson dirige la colonne Weather à bord de son HMS *Victory*. À la vitesse du vent, l'amiral casse l'organisation de la flotte napoléonienne. Approchant directement par bâbord des navires français, le *Victory* est canardé. Les marins sont pulvérisés, mais, soudain, les Anglais ouvrent le feu. Les canonniers anglais sont précis, et leurs marins très rigoureux. Les vaisseaux de guerre livrent une bataille épouvantable, dans le tonnerre assourdissant des canons, des explosions, les tirs de fusil, les craquements des bateaux, la chute des mâts, les cris des capitaines, les hurlements des marins et des soldats, des blessés, les plongeons des corps et, par instants, le bruit du vent dans les voiles. C'est l'apocalypse sur la mer.

Nelson est connu de tous les marins et de tous les capitaines, sur toutes les mers du monde. Il est borgne, car il a perdu son œil droit lors de l'attaque de Calvi, et il a été amputé à la suite d'une fracture du tiers inférieur du bras droit lors d'une bataille du côté de Cadix. Malgré ses blessures, il continue de commander et il est très respecté de ses hommes. Nelson, c'est l'honneur et la gloire de l'Angleterre, alors dans cette bataille décisive pour son pays et sa flotte, il monte sur le gaillard d'arrière en grande tenue, bardé de toutes ses médailles. Son secrétaire lui fait remarquer qu'il fait une cible idéale avec son bel uniforme, ses décorations, son bras manquant et son bandeau sur l'œil droit, mais il reste debout malgré les tirs. L'ennemi sait comment il est ! Rien n'y fait, il est là et ses hommes sont galvanisés par sa présence.

Nelson met le cap pour affronter le navire amiral le *Bucentaure*, mais il est attaqué par le *Redoutable*, et, très vite, les deux bateaux sont à l'abordage. C'est une boucherie. Les Anglais prennent le dessus. Nelson, lui, est toujours sur le pont, en plein milieu des tirs, des flammes et des fumées. Les snipers français sont en haut des mâts et tirent sur le pont du

103

Victory. Il est 13 heures, Nelson a dû sentir une brutale douleur à l'épaule gauche, comme une tension dans son thorax, et il tombe immédiatement sur les genoux. Il vient d'être touché par une balle en plomb.

Ses officiers l'entourent et des hommes le portent au pont inférieur, auprès du chirurgien William Beatty. Il est recouvert d'un drap et lui-même recouvre son visage pour ne pas démoraliser ses hommes. « Vous ne pourrez rien pour moi. Il ne me reste que peu de temps à vivre. Mon dos est transpercé. » Il a mal et saigne un peu de l'épaule, mais continue de donner des ordres. Il est examiné par Beatty, qui sonde la plaie avec son index droit, sans asepsie, comme on le faisait à l'époque. Nelson a très soif en raison de l'hémorragie et il dit qu'il ressent « une grande giclée de sang dans [sa] poitrine et [qu'il] ne [sent] plus rien dans la partie inférieure de [son] corps ». C'est un hémopneumothorax : son torse se remplit de son sang et d'air, comme les navires qui coulent se remplissent d'eau, le sang s'écoule dans son thorax. C'est une hémorragie interne contre laquelle le chirurgien ne peut rien. L'amiral présente aussi une anesthésie du corps, correspondant à une section de sa moelle épinière. Lui sait qu'il va mourir mais ne panique pas et au contraire continue le combat !

Malgré sa respiration très difficile, angoissante, et sa douleur intense, Nelson commande encore. Beatty pense que la balle l'a touché dans le dos et Nelson lui dit : « Elle m'a cassé le dos. » Beatty n'ignore pas que ces blessures par balle sont impossibles à soigner.

Les médecins savent réaliser les amputations des membres, qui doivent être « immédiates pour éviter les hémorragies, le choc et les effets de la peur », mais, pour les blessures du thorax, de l'abdomen ou de la tête, la mort est quasi inéluctable. Sur ordre de Nelson, le chirurgien va soigner les soldats et les marins blessés. Il amputera neuf bras et deux jambes pendant la bataille. L'agonie de Nelson est lente, douloureuse et terrifiante, comme l'a été celle des cinq mille morts de cette bataille. Il continue de lutter contre l'ennemi et c'est seulement lorsque la victoire est certaine que la mort le prend. Il est 16 h 30. Il a tenu plus de trois heures, ce qui est incroyable vu les lésions et l'inefficacité des soins !

Nelson vient de sauver l'Angleterre, et Beatty n'a rien pu faire pour le sauver. Tout doit être fait maintenant pour ramener Nelson à Londres. Et son chirurgien doit trouver le moyen d'empêcher la décomposition du corps. Mais comment faire ? On met l'amiral dans un tonneau rempli d'alcool fort et de spiritueux. Très endommagé, le HMS *Victory* va mettre cinq semaines à regagner Portsmouth, voguant avec une escorte et les drapeaux en berne. Les restes de Nelson sont la principale préoccupation de toute l'armada.

Elle arrive en Angleterre le 14 décembre. Il faut préparer le cadavre pour l'exposer à Greenwich et pour les funérailles royales. Beatty envoie chercher des bandages pour envelopper ce corps, dont la décomposition est très avancée. Le 11 décembre, la dépouille est retirée du tonneau et mise dans un cercueil qui sera recouvert de plomb. En inspectant le cadavre, le chirurgien décide d'enlever le contenu de l'abdomen et du thorax afin de limiter la décomposition. Mais la curiosité l'emporte et Beatty extrait la balle et réalise l'autopsie. Ainsi, la trajectoire du projectile explique la mort de l'amiral. Elle a frappé la partie supérieure gauche de l'épaulette sur l'acromion, qu'elle a fracturé. Puis elle est descendue obliquement dans le thorax, fracturant les deuxième et troisième côtes. Après, elle a percé le lobe supérieur gauche du poumon jusqu'à l'artère pulmonaire, ce qui a entraîné l'hémorragie interne. Puis le plomb est allé se loger dans le corps vertébral de la sixième dorsale, le fracturant et sectionnant la moelle épinière. D'où la paralysie. La balle a arrêté son carnage dans les muscles, à deux doigts au-dessous de l'omoplate droite.

Après cette autopsie, Beatty enlève tous les organes et les emballe dans des toiles. Il emmaillote le cadavre de bandages de coton et de lin, à la manière des embaumements antiques. Le visage étant très décomposé, il est aussi recouvert. Puis il le pose dans le cercueil et, à côté, intestins, cœur, poumons, foie, reins et rate. De nouveau, l'amiral est aspergé de liqueurs et d'alcools forts, ainsi que de solutions de camphre et de myrrhe.

Beatty a gardé la balle. Elle est devenue son porte-bonheur, qu'il a fait monter au bout de la chaîne de sa montre de gousset. Ainsi, en consultant sa montre, il voyait la balle qui avait tué Nelson. Ce grand marin a été le courage et l'honneur du peuple anglais, qui, cent trente-cinq ans après, lutterait et gagnerait contre les nazis avec la même force et la même résistance que lui.

Lord Horatio Nelson est mort à quarante-sept ans.

WATERLOO
46 108 agonies

Waterloo, 18 juin 1815, c'est la guerre. Le récit de cette bataille est avant tout celui d'un carnage. Napoléon réécrira l'histoire et rejettera ses fautes lourdes sur les autres, comme tout dictateur. En quelques heures, elle fera plus de 40 000 victimes, tuant ou blessant aussi plus de 10 000 chevaux. Réduire cette bataille à de belles images héroïques n'est pas juste. En ce jour de juin 1815, Waterloo est un chapitre de l'enfer. Il pleut sur tout le sud de Bruxelles. D'un côté, Napoléon, tout fraîchement revenu avec ses névroses de l'île d'Elbe, à la tête de 59 000 fantassins, 12 600 cavaliers et 246 canons. Une armée au drapeau claquant, bien habillée de cuir neuf, munie de fusils de bonne facture ; les marchands ont aidé à l'équiper car ils voient d'un bon œil le retour de l'Empereur, les conquêtes et la croissance par la guerre. Pourtant cette armée napoléonienne est ressentie par l'Europe comme une armée de pilleurs, de violeurs, de criminels. Alors les alliances se sont vite faites pour l'écraser : Britanniques,

Néerlandais, Prussiens. 110 000 fantassins, 12 000 cavaliers et 156 canons. Tous veulent mettre fin au pouvoir de Napoléon.

Il fait un temps épouvantable et le champ de bataille est totalement trempé. Les soldats français sont épuisés par la marche. Des combats ont commencé le 16 juin. La bataille de Ligny est remportée par Napoléon, mais c'est déjà un carnage. Comme le colonel Ordener le raconte : « Nous partons huit régiments au trot [...], nous chargeons en masse les débris de l'infanterie prussienne, qui sont culbutés et comblent le ruisseau de cadavres. » Un chirurgien raconte la haine entre les deux armées : « Les Prussiens avaient assuré qu'ils massacreraient les Français et particulièrement la garde. »

Le lendemain, tout se prépare pour l'affrontement final. Les soldats ont peur, ils sont fatigués, ils ont faim. Pas de bois, pas de paille, ils bivouaquent dans la boue. Certains se suicident. Napoléon n'a rien étudié du terrain et ignore que cette région est faite de collines, de vallons. Ses soldats ont beau être bien équipés, la pluie gêne leur déplacement car l'herbe est mouillée, la terre labourée. À cette époque, le mollet était ferme et les hommes marchaient des dizaines de kilomètres par jour. Comme unité de mesure, ils savaient qu'une paire de chaussures s'usait en un trajet Paris-Poitiers. Trempés, c'est une autre affaire.

Du côté du commandement, Napoléon semble souffrir d'une grave névrose post-traumatique consécutive à la retraite de Russie. Il est dépressif, il plonge dans de sombres songes et de longues périodes de silence. Incapable de diriger, il n'écoute rien, il est comme prostré. Son ulcère de l'estomac lui fait très mal. Il lui a fallu cent jours d'efforts pour remonter de Golfe-Juan, rassembler la politique, motiver les armées, décider l'attaque contre les ennemis : il est épuisé et reste le plus souvent seul dans son carrosse. La douleur et les soucis le font veiller tard. Le jour de la bataille de Waterloo, il a l'anus en grappe de raisin en raison d'une crise hémorroïdaire. Il ne tient pas à cheval, contrairement à ce que montrent images et autres tableaux. Il ne voit rien du terrain malgré ses longues-vues et ne se déplace guère.

De l'autre côté, Wellington et ses alliés attendent le début de la bataille pour anéantir l'Empereur. Blücher est à la tête de l'armée prussienne, qui se souvient des exactions de l'armée française en campagne. « Pas de pitié » est la phrase la plus répandue chez les chefs militaires alliés.

Le service de santé de l'armée napoléonienne est en avance pour son temps. Percy et Larrey, deux chirurgiens militaires, en sont les instigateurs et innovateurs, du ramassage des blessés au poste de chirurgie de l'avant. Ils sont en quelque sorte les ancêtres des urgences modernes comme le service mobile d'urgence et de réanimation. À Waterloo, les premiers morts sont ceux qui souffrent de la dysenterie, d'alcoolisme et du typhus – une épidémie a débuté en Belgique en 1814. Les soldats périssent aussi par leur queue, avec la syphilis. Les médecins de l'armée sont dissociés des chirurgiens, qui sont déjà à cette époque à l'apogée de leur narcissisme. Les médicaments n'existent pas, on se contente d'épices et de plantes, entraînant souvent de grandes diarrhées.

Mais il est 7 heures, en ce 18 juin, entendez-vous trompettes et tambours, canons et cris... La bataille commence comme un abattoir qui ouvre ses portes. Les visages grimaçants, les douleurs des chairs déchiquetées et grillées par les boulets, les cris, le sang, les horreurs commencent ! Allons regarder dans le poste de soins la Belle Alliance les victimes qui commencent à arriver, tripes à l'air, les membres coupés, les têtes fracassées, les brûlures, les plaies béantes et les cris des blessés... Voilà ce que voient les soldats épouvantés. Napoléon envoie ses fantassins en rangs serrés et drapeau en avant. L'attaque du bois d'Hougoumont est un carnage. Des rangs entiers de soldats tombent aux cris de « Vive l'Empereur ! » Roulez tambours, sonnez trompettes, et ce sont artères qui coulent à flots, abdomens et thorax fendus, têtes sans corps et troncs sans tête. Comment faisaient les soldats des premières lignes pour avancer en sachant que la mort était au bout du fusil ennemi pointé droit sur eux ?

Il y a des blessures de toutes sortes. Les coups de canon entraînent des traumatismes, des brûlures ou une sorte de broyage interne par l'onde de choc. Toutes ces lésions tuent sur le coup ou en quelques jours. Les hurlements suivent toujours les coups de canon s'il y a des blessés, et le silence s'ils sont tous morts ou dans le coma.

Et puis, tous ces soldats se tirent dessus. Le fusil français tire une balle en plomb de vingt et un grammes. Un coup par minute. Le fusil britannique tire une balle de trente-deux grammes qui, elle, tue aussi les chevaux de six cents kilos. Deux coups par minute (trois pour les Prussiens). Les blessures par balles sont complexes et les brancardiers et officiers de santé (sorte d'infirmiers) colmatent comme ils peuvent avec du linge et des bandages. Les débris, les balles, tout écrase les chairs.

Enfin les sabres, les couteaux et les lances produisent des plaies par découpe ou transfixantes. Les coups de sabre défigurent, font jaillir du sang des artères perforées. Paradoxalement, très peu de blessures par les baïonnettes, les hommes sont généralement morts avant d'avoir pu se confronter.

Les brancardiers amènent les officiers d'abord. C'est pour cela que, sur le champ de bataille, les soldats volent les uniformes des gradés même s'ils sont encore vivants, afin de pouvoir être soignés. Du brancard, ils sont posés par terre, où un peu de paille est étalée, non pas pour leur confort mais pour absorber le sang. La boue, la pluie les refroidissent encore plus vite que la mort. Les soldats sont quasi systématiquement amputés et les plaies abdominales ou thoraciques impossibles à soigner. La scie coupe sans aucune stérilisation. Les médecins ignorent alors les microbes comme les antalgiques. Pour calmer la soif due aux hémorragies, les blessés boivent de l'eau croupie, puante et boueuse.

Beaucoup s'étaient saoulés avant d'aller au combat ou le sont avant d'être amputés. Il est raconté qu'un soldat français, amputé de sa jambe, l'a prise et l'a jetée en l'air en criant « Vive l'Empereur ! » Un autre garda le silence lorsque le chirurgien lui scia le bras. L'amputation finie, il dit : « N'emporte pas mon bras sans que j'enlève la bague que ma femme m'a offerte. » Puis son bras est jeté au bûcher qui se trouve à côté du poste de soins. L'odeur est épouvantable et tout le monde marche dans la graisse fondue des membres. Si le soldat réchappait de l'amputation, il lui restait à éviter gangrène, tétanos, dysenterie ou gale... L'odeur des cadavres allait croissant, ils étaient jetés sur les tas de fumier, prêts à être enterrés ou brûlés.

Napoléon, lui, ne voit pas tout ça, il est paumé, souffre de ses hémorroïdes et se trompe encore et encore sur les positions stratégiques. À intervalles réguliers, son aide de camp lui prépare des bassines d'eau froide pour calmer ses douleurs et faire diminuer le volume du paquet hémorroïdaire.

À la nuit tombée, le champ de bataille est couvert de morts et de blessés. C'est la double peine pour ces derniers. Nous sommes bien loin des images folkloriques. Napoléon a détalé depuis longtemps. Les hommes agonisent, les chevaux aussi. Des soldats et des civils dépouillent cadavres et blessés. Des paysans achèvent des blessés pour les voler. Certains décrivent comment ils ont été fouillés plusieurs fois ou traînés pour leur arracher leur bottes, officiers ou non... Hugo s'inspirera des pilleurs pour décrire son Thénardier.

Beaucoup de cadavres sont retrouvés nus. Les officiers alliés ont des tombeaux ou seront rapatriés dans leur pays. Les autres sont jetés dans des fosses communes. Des tas de cadavres sont incinérés. Longtemps après la bataille, on retrouvait encore des os dans le sol. On les broyait pour faire de l'engrais. Plus sordide : les dents récupérées afin de fabriquer des prothèses dentaires nommées « dents de Waterloo ». Les alliés ont laissé les chirurgiens et médecins français continuer leur travail pour tenter de sauver quelques blessés de ce charnier.

Au soir, le bilan est apocalyptique : ce sont quelque 10 813 morts et 35 295 blessés, 4 000 mourront dans les deux jours suivants. Et des milliers de cadavres de chevaux un peu partout.

Napoléon réécrira l'histoire à Sainte-Hélène, rejetant les fautes sur ses maréchaux et autres gradés, devenant un modèle pour les dictateurs et une inspiration pour les auteurs et les artistes. Mais Waterloo fut un immense massacre. Et dire que nous donnons encore à des rues, des ponts et des gares le nom de ces généraux et maréchaux de l'Empire, et de ces batailles qui n'étaient rien d'autre que des abattoirs.

La moyenne d'âge des soldats morts à Waterloo est très probablement en dessous de vingt-cinq ans.

LUDWIG VAN BEETHOVEN
Une vie plombée

Vienne, 26 mars 1827 : tous les instruments de musique font silence, toutes les rues pleurent la mort de Beethoven. La foule est venue plus nombreuse que pour les funérailles impériales. Lui qui a combattu toute sa vie la surdité pour écrire de la musique vient de tomber dans le silence de la mort, mais son œuvre commence seulement à vivre ! La surdité, qui handicapa toute la vie de ce musicien génial, était un des symptômes d'une intoxication lente dont la cause est sans doute expliquée par les recherches récentes. Son travail et la beauté de sa musique ont fait oublier cette maladie.

Né d'un père violent et alcoolique, le petit Ludwig vit dans un milieu de musique. Sa mère, dépressive, met au monde sept enfants ; seuls trois atteindront l'âge adulte. Dès l'âge de huit ans, il joue dans les concerts et est exhibé un peu partout : c'est la mode depuis Mozart, qui a débuté quand il avait cinq ans, une sorte d'« École des fans » de l'époque. Après un

passage comme organiste à la cour, le jeune Beethoven rencontre Joseph Haydn qui repère « son
talent et son inspiration inépuisables ».

Vers la fin de son adolescence débutent des douleurs abdominales effroyables, des crampes atroces,
des constipations, des digestions impossibles. Ces
douleurs ne cesseront jamais. L'intoxication au plomb
a commencé, elle durera toute sa vie. À cette époque,
ce métal lourd est partout : dans l'eau, le vin, la
bouffe, les ustensiles de cuisine, les verres, les bouteilles, les flacons, mais aussi dans les remèdes qu'on
lui donne contre les douleurs de ventre !

Plus Ludwig étudie la musique et plus la surdité
s'installe, car le plomb envahit et se dépose dans les
tissus de son corps. Mais il compose et écrit sans
relâche, toujours porté par le succès. En consultant
tous les médecins, ce qui ne change rien à l'évolution
de son saturnisme. Il les maudit, comme Molière.

Une des conséquences de cette intoxication est
psychiatrique : la dépression. Et, à trente-deux ans, il
pense au suicide : « Songez que depuis l'âge de six
ans, je suis frappé d'un mal terrible que des médecins
incompétents ont aggravé. D'année en année, déçu
par l'espoir d'une amélioration, [...] j'ai dû m'isoler
de bonne heure, vivre en solitaire. » Sa dépression
va être son autre abominable compagne ; les femmes
passent et se lassent de son caractère sans concession,
un caractère difficile où se succèdent de belles
éclaircies de calme et des périodes de colère.

À trente-six ans, il refuse de jouer pour les officiers
français, vainqueurs à Austerlitz. Beethoven croit aux

valeurs de la Révolution française, il n'aime pas Napoléon et se dispute avec son prince protecteur. Il lui écrit : « Prince, ce que vous êtes, vous l'êtes par le hasard de la naissance. Ce que je suis, je le suis par moi. Des princes, il y en a et il y en aura des milliers. Il n'y aura qu'un Beethoven. » Malgré ses maux, il reste épris des valeurs humanistes du siècle des Lumières.

Même sans mécène, il travaille. Il va faire des cures pour soulager ses douleurs et sa surdité dans des centres équipés en plomb. En continu, il s'empoisonne sans le savoir.

À quarante-cinq ans, déprimé, fatigué, souffrant de multiples maux, sans argent, il continue de composer et de lutter contre sa dépression qui lui martèle des idées suicidaires. Vers 1815, il écrit : « Nous, êtres limités à l'esprit infini, sommes uniquement nés pour la joie et pour la souffrance. Et on pourrait presque dire que les plus éminents s'emparent de la joie par la souffrance. » Sa surdité devient totale, il communique par lettres et en utilisant un cahier. Sans doute les conséquences cardiaques et pulmonaires du saturnisme commencent-elles à se faire sentir : Beethoven est fatigué et ne sort plus de chez lui. Plus le temps passe, plus la maladie progresse.

La surdité de ce génie de la musique – comble du paradoxe ! – fascine les médecins. Ils le contemplent, l'étudient, mais ne le soulagent pas, ne le soignent pas.

Le 26 mars 1827, vers 15 heures, Beethoven est couché, sans doute en pleine poussée d'insuffisance cardiaque, peut-être même avec un infarctus du myo-carde. Il est pris de douleurs en barre dans le thorax, il n'arrive pas à respirer. Vers 17 heures, une véritable tempête souffle dehors. Selon les témoins, « un coup de tonnerre formidable retentit, accompagné d'un éclair, qui illumina toute la chambre pendant quelques secondes. Beethoven ouvrit les yeux et, regardant fixement devant lui, éleva le bras en montrant le poing, et le tint en l'air pendant plusieurs secondes. L'expression de son visage était sombre et mena-çante ». Une main sur la poitrine et l'autre retombée. Il est mort.

Un jeune musicien, présent avec des membres de sa famille, prépare le cadavre. Il lui coupe une boucle de cheveux, comme un souvenir sacré de sa dernière heure. Ces cheveux commencent alors un très long périple qui ne s'est terminé que récemment à Londres, chez Sotheby's, aux enchères. C'est une fondation américaine qui les a emportés. Les tests effectués ensuite ont révélé une quantité de plomb plus de cent fois supérieure à la normale.

Mais les cheveux ne sont pas les seules parties du corps de Beethoven à avoir voyagé après sa mort. En effet, les médecins n'en avaient pas terminé avec sa dépouille. Ils ont pris son crâne !

Au XIXe siècle, ils avaient inventé la science du crâne post mortem : ils le prélevaient sur le cadavre, le découpaient, le vidaient pour leur gloire et pour tenter de comprendre la vie dans la mort. C'était la recherche tendance de l'époque, piquer les têtes et conceptualiser des théories. Alors les toubibs allaient dans les cimetières pour récupérer la tête des personnalités dans leurs tombes. C'est ainsi que nombre de cercueils ne sont plus remplis que de dépouilles sans tête et que le crâne de Beethoven se promène encore !

Le docteur Wagner fait l'autopsie de Beethoven avec des collègues, le 27 mars 1827. Il note que « la structure de crâne et les organes de l'ouïe, les nerfs auditifs étaient rétrécis et indiscernables. Par ailleurs, ils constatèrent une cirrhose ». Beethoven buvait sans doute fréquemment de l'alcool pour calmer ses angoisses et oublier ses douleurs, mais ce vin du Rhin qu'il aimait tant lui aussi contenait du plomb. Et les coupes dans lesquelles il buvait étaient faites d'un mélange de plomb et de cristal. Les médecins remarquent « des reins petits pouvant évoquer une insuffisance rénale, et un pancréas anormal... » : en somme, Beethoven était plombé de partout.

Mais pendant l'autopsie, les médecins se sont cachés derrière des bâches. Ils brisent alors le crâne de Beethoven et en volent des morceaux, comme une bande de voyous pillant un lieu historique. Ainsi Ludwig est-il dispersé dans toutes les gammes des ambitions médicales. En 1863, lors d'une restauration de sa tombe, l'un de ses admirateurs s'empare des restes pour les conserver à son chevet. En 2010, d'autres fragments du crâne réapparaissent lors d'une vente aux enchères, mais cette fois chez Christie's. Ludwig voyage encore beaucoup.

L'examen du tissu osseux de morceaux de son crâne a confirmé la présence massive de plomb. Eh oui, les médecins n'ont pas cessé d'être passionnés par ce génie.

Mais Beethoven n'est pas que dans les salles des ventes, dans sa tombe ou sous les microscopes : il est partout. Il n'en finit pas d'être joué, admiré, étudié pour sa musique, son génie artistique, la beauté, sa richesse sans fausse note, et il ne plombe jamais l'ambiance.

Il est clair de lune ce soir et sa musique me dit qu'il n'est pas peu fier que son « Hymne à la joie » soit devenu la musique de l'Europe en paix.

Beethoven est mort à cinquante-six ans.

BALZAC
Le cœur gros

Paris, 18 août 1850. Louis Napoléon Bonaparte a été élu président de la République française un peu moins de deux ans plus tôt. C'est l'époque de l'émancipation de la bourgeoisie, qui espère devenir une aristocratie. La mutation de la société est bien lente en ce XIXe siècle, mais Paris est encore éclairée par celui des Lumières. Les intellectuels de l'époque ont bien conscience de la nécessité de l'évolution après la Révolution. Le futur empereur est revenu de Londres enthousiasmé par la modernité anglaise, et bientôt il va charger Haussmann de refaire la capitale avec les théories hygiénistes des Lumières. Un slogan est lancé : « Paris embellie, Paris agrandie, Paris assainie », pour débuter les travaux et convaincre le peuple de la capitale de casser les vestiges du Moyen Âge.

Mais n'entendez-vous pas ? En cette nuit d'été, un cheval tire au galop un fiacre, du côté des Champs-Élysées. Arrivé dans la rue Fortunée, il s'arrête devant une villa. Victor Hugo en descend et frappe à la porte. Cet après-midi, son épouse est allée voir la femme de son pote, et celle-ci lui a confié que M. de Balzac se mourait. Alors Victor, à la fin de son dîner avec son oncle, fonce voir Honoré.

Balzac a profité de la vie. Il est maintenant obèse d'avoir tant mangé gras, salé, sucré... Et tant picolé ! C'est la diététique de l'époque. Il a été un grand conquérant sentimental et sexuel. Il est désormais marié à celle qu'il courtisait depuis des années. Il vit dans une bâtisse – ce qui reste de l'hôtel Beaujon – jouxtant une petite église. « Un tour de clé et je suis à la messe », a-t-il dit à Hugo en se marrant, quelques mois auparavant.

En février 1849, Hugo l'a croisé dans un faubourg. Balzac « respirait bruyamment ». Son médecin a posé un diagnostic d'hypertrophie du cœur. Les jambes enflées et la difficulté à respirer évoquées par Hugo sont la signature de cette insuffisance cardiaque globale et majeure. Mais aucun traitement n'existe à cette époque. Balzac, au sommet de son art et de sa vie, veut garder celle-ci. Il consulte alors cinq médecins, qui l'« abandonnent » tous, selon les termes de son entourage en ce mois d'août.

Son état physique va rapidement se dégrader et finit par l'empêcher de faire le moindre effort. L'écrivain cherche l'air comme une carpe sortie de l'eau. Ses jambes sont devenues énormes, semblables à des colonnes de marbre. C'est le début de la fin. Ses médecins décrivent « une hydropisie couenneuse, une infiltration, [...] la peau et la chair [sont] comme du lard ». Ce sont les signes que le cœur ne se contracte plus efficacement, des œdèmes se forment dans les membres inférieurs du corps et les poumons. Un peu comme si une pompe censée vider un lac n'en avait plus la force, et donc le lac déborde !

Malheureusement, en juin, il se blesse à une jambe, et une plaie béante vient vider l'œdème. Sa servante raconte que « toute l'eau qu'il avait dans le corps a coulé. Les médecins ont dit : Tiens ! Cela les a étonnés et depuis ce temps-là ils font la ponction. Ils ont dit : Imitons la nature ». De fait, cette plaie révèle l'importance de l'insuffisance cardiaque et probablement rénale par la présence d'eau dans les tissus. Mais les ponctions sont réalisées sans aucune désinfection, et la plaie suppure comme de la crème anglaise. Alors, un certain Roux, chirurgien, l'opère, ou plutôt le charcute. En enlevant l'attelle qui lui immobilise la jambe, « la plaie était rouge, sèche et brûlante ». Balzac souffre comme jamais. Un bel abcès avec des bactéries qui se régalent de sa chair. Cette nécrose et la macération provoquent une odeur épouvantable.

Mais ne perdons pas de temps, et si vous le voulez bien, suivons M. Hugo dans la chambre de M. de Balzac. De marche en marche, sa servante raconte : « Ce matin, à 9 heures, Monsieur ne parlait plus. Madame a fait chercher un prêtre qui a donné l'extrême-onction. Monsieur a fait signe qu'il comprenait. Une heure après, il a serré la main de sa sœur. Depuis 11 heures il râle et ne voit plus rien. Il ne passera pas la nuit. » Balzac est en plein œdème aigu des poumons, avec un manque d'oxygène et un infarctus du myocarde massif. En effet, le cœur et ses artères coronaires font tout ce qu'ils peuvent pour alimenter la circulation sanguine. Mais les artères devaient être chargées d'athérome et donc le cœur a fini lui aussi par se nécroser. L'insuffisance rénale est aussi présente par le choc cardiogénique majeur dont souffre Balzac. Son cœur le lâche doucement. Lui, l'immense auteur, vit une agonie épouvantable par étouffement, douleur de la jambe, douleur dans la poitrine, manque d'air. Tout en étant conscient, il lui est impossible de parler tellement il graillonne, et cette douleur dans la poitrine qui le serre comme un étau ! Pas un de ses médecins n'est présent depuis la veille, ni pour lui tenir la main, ni pour lui donner de la morphine, découverte au début du siècle. Hugo, lui, lui prend la main et reste à ses côtés. Balzac est trempé de sueur, signe d'une détresse respiratoire. À laquelle s'ajoute le choc septique par la gangrène de la jambe... La maison se remplit déjà d'une odeur de cadavre.

Balzac est dans un lit d'acajou, tenant assis grâce à « un monceau d'oreillers ». C'est la position recommandée aux malades souffrant de cette pathologie, qui leur permet de mieux respirer, car la surcharge et l'eau restent ainsi le plus bas possible, dégageant les poumons. Il a « la face violette, presque noire ». À cette époque, il n'y avait pas de bouteilles d'oxygène, ni aucun appareil pour aider à respirer. Hugo ne peut s'empêcher de le décrire avec « ses cheveux gris et coupés court, l'œil ouvert et fixe ». Ce sacré Victor pratique l'humour noir et trouve que, de profil, « il ressemble à l'Empereur ».

L'atmosphère est lourde et indécise, l'angoisse et la peur palpables. Pour l'écrivain, chaque seconde est une lutte pour la vie. Comme pour ne pas voir que le combat est vain, la chambre n'est éclairée que par deux bougies.

La mort prend son temps avec lui, avant de boucher les artères de son cœur pour l'arrêter. Lui qui voulait une « vie immense comme Napoléon, Cuvier et O'Connell » a une fin solitaire, marquée par la peur et la souffrance. Il est tard, et Hugo s'en va.

Balzac meurt à petit feu dans la nuit, un peu comme si Rastignac se vengeait, comme si Eugénie Grandet lui faisait payer ses dettes ou comme si Vautrin le torturait. Le lendemain de son décès, la coutume de l'époque voudrait qu'un masque en plâtre soit monté sur le cadavre. Mais avec la chaleur de l'été et les œdèmes, la décomposition du corps est telle qu'il ne peut être réalisé. Victor Hugo, resté à côté du cercueil, voit « le visage déformé et le nez tombé sur la joue ». La comédie humaine s'arrête pour le brave Honoré, mais continue pour le peuple et la littérature.

Honoré de Balzac est mort à cinquante et un ans.

FLAUBERT
La vie en jaune

Croisset, le 8 mai 1880. Nous venons d'arriver en province, près de Rouen, avec son silence, l'odeur de la mer, son folklore, ses rapports sociaux, les agriculteurs dans la campagne et une bourgeoisie dans les villes qui reproduit les pratiques de l'aristocratie finissante. Les patrons commencent à prendre goût à l'exploitation des ouvriers dans des usines sans droits sociaux. La révolution industrielle va forger le XXe siècle et entraîner une pollution sans précédent que tout le monde ignore. Les guerres se succèdent, mais on assure que la dernière a eu lieu. La France se croit moderne, forte et éternelle. Les artistes pullulent et quelques écrivains font avec minutie la description de la ringardise morale de la société et de sa bourgeoisie puritaine. Gustave Flaubert est bien connu depuis les scandales de *Madame Bovary*, de *L'Éducation sentimentale* et de *La Tentation de saint Antoine*, que les cathos ont très mal vécus ! Mais ses potes Zola, Maupassant, Goncourt, Daudet, ne s'y trompent pas : Flaubert est un génie.

Gustave leur a écrit pour les inviter à passer le dimanche de Pâques 1880 à Croisset. Les lettres sont en quelque sorte les SMS d'aujourd'hui. Point de relation sans papier, plume et écriture. Ils viennent tous, en prenant le chemin de fer de Paris à Rouen. Le voyage est long, mais la temporalité de l'époque leur semble déjà changer avec la modernité technique, car ce moyen de transport est tout nouveau. Et pensez donc, passer une journée entre potes, ça ne se manque pas ! Ils trouvent un Flaubert en pleine forme. Pourtant, ils ne le savent pas encore, mais c'est la dernière fois qu'ils sont réunis.

Flaubert n'aime guère Paris. Il vit seul en province, avec une domestique pour l'aider. Depuis 1844, Gustave fait des malaises à l'emporte-pièce, qu'il nomme « crises nerveuses ». Ces malaises sont accompagnés de perte de connaissance. Zola et Goncourt les décrivent : il « tombait en syncope, assommé par de lourds sommeils ». La chute, puis la raideur du corps, suivie de la phase d'agitation, puis le coma avec des ronflements, ce sont les signes de la crise d'épilepsie. L'époque est déjà meilleure qu'au Moyen Âge, où les épileptiques étaient brûlés : on pensait que les démons ou Satan s'étaient emparés d'eux !

Flaubert est laissé sans traitement, car il n'en existe pas ; personne ne connaît l'étiologie de ce mal. La maladie évoluait alors avec sa propre histoire naturelle. Le fatalisme médical permettait une certaine compassion. Pendant seize ans, il n'en a plus fait, mais les soucis financiers, la fatigue et le stress ont relancé les crises. Sa bonne les connaissait, et pour le rassurer, elle lui parlait avec des mots apaisants qu'il entendait plus ou moins.

Flaubert a travaillé comme un fou pour terminer *Bouvard et Pécuchet.* Quelques jours après le déjeuner avec ses amis, il confie à sa bonne qu'il est très fatigué. Il prend un bain et se prépare comme d'habitude. Demain, il va à Paris ! Mais il fait une crise d'épilepsie. Sa bonne accourt pour l'aider. L'écrivain gît par terre. Alors, elle part chercher le docteur Fortin, qui n'est pas disponible. Lorsqu'elle revient à son chevet, elle trouve Flaubert étendu sur un divan, bien éveillé mais épuisé. Comme chaque fois, et pour calmer ses angoisses, il lui demande de lui parler. Elle lui prend la main et lui parle doucement. Il se rend dans sa chambre chercher un flacon d'éther, il s'en frotte les tempes. Une pratique de l'époque pour faire cesser les crises d'épilepsie, totalement inutile mais c'était l'habitude.

Soudain, il dit : « C'est curieux, j'y vois jaune. J'y vois jaune... » En même temps, il sent ses jambes comme cassées et ne peut se lever... Le problème est que ce changement de la vision des couleurs est ô combien révélateur d'un accident vasculaire cérébral en cours de formation dans le cerveau de Gustave. L'artère cérébrale postérieure provoque en cas de lésion ce genre de symptômes brutaux. Tel un bateau qui aurait heurté un iceberg, le cerveau de l'écrivain est en train de s'inonder de son sang ! Les maux de tête qui s'en sont suivis ont dû être particulièrement violents et insoutenables.

131

Puis il dit : « Ah, ça va mieux, voyez-vous, si ça m'avait pris demain dans le chemin de fer, j'aurais été bien. »

Là-dessus, d'un coup, sa tête part en arrière sur le divan, et il meurt. La bonne croit qu'il refait une crise, alors elle ne fait rien et attend le docteur, qui arrive une demi-heure après. Fort tard, mais de toute manière il n'aurait rien pu faire. À cette époque, la réanimation n'existe presque pas, un médecin de famille n'a que ses mains et la contemplation des drames. Débutée par une crise d'épilepsie comme il en a déjà fait, l'hémorragie cérébrale a été fulgurante. Croyant à « un état léthargique » et pensant comme la bonne que le malade va se réveiller, le médecin le laisse comme cela. C'est lorsque le cou devient bleu-noir qu'il se résigne à constater le décès. Seule consolation : Flaubert n'a pas souffert.

En 1880, l'espérance de vie progresse surtout grâce aux progrès de l'hygiène. Mais les conséquences de l'obésité, des régimes alimentaires effroyables, du cholestérol, de l'hypertension artérielle, du tabac et de l'alcool sont inconnues et font déjà des ravages. Nul ne sait si Gustave cumulait ces problèmes ou même s'il souffrait d'une tumeur au cerveau. Ce qui est certain, c'est que la corpulence de l'époque et les habitudes de picoler et de fumer n'ont rien arrangé.

On déclara qu'il était mort d'apoplexie. Nom générique qui ne voulait rien dire, sinon qu'il se passait quelque chose au cerveau, et tout dire en même temps d'une pathologie cérébrale aiguë.

Regardez, là, sur le chemin : c'est Zola qui nous entraîne dans le cortège accompagnant un Flaubert froid et rigide dans l'espace sombre et lugubre menant de l'église au cimetière. Zola et Goncourt sont furieux, car peu de gens de Rouen sont venus à l'enterrement. L'auteur de *L'Assommoir* ne décolère pas du peu de considération de la population pour le grand romancier, et il va l'écrire peu de temps après : « Pauvre et illustre Flaubert, qui toute sa vie avait rugi contre la bêtise, l'ignorance, les idées toutes faites, les dogmes, les mascarades des religions, et que l'on jetait, enfermé entre quatre planches, au milieu du stupéfiant carnaval de ces chantres braillant du latin qu'ils ne comprenaient même pas ! »

À peine trois cents personnes, en effet, pour accompagner Gustave en sa dernière demeure. Le ridicule de la scène finale est digne de *Madame Bovary*. Flaubert était plus grand que la moyenne de ses contemporains, alors il a fallu rallonger son cercueil ; comme « d'un géant », selon Zola. Les porteurs ont d'abord du mal à le soulever et à le maintenir. Puis les fossoyeurs commencent à le descendre, mais... trop grand pour le trou. Manœuvre et stratégie de mobilisation, mais patatras ! Le cercueil se retrouve tête en bas et bloqué. Plus personne ne veut regarder la scène, devenue burlesque : « Assez, assez, attendez plus tard. » Alors la petite foule repart, abandonnant Flaubert à son inhumation oblique, bloqué dans sa tombe.

Flaubert entrait en terre tête en bas, tandis que son dernier chef-d'œuvre – *Bouvard et Pécuchet* – sortait, symbolisant toutes les bêtises de la société. Et nous léguait pour l'éternité une Carthage devenue immortelle avec son roman historique, *Salammbô*, et *Madame Bovary* comme *L'Éducation sentimentale*, qui allaient ravir des générations entières.

Gustave Flaubert est mort à cinquante-huit ans.

ZOLA

La cheminée m'a tuer...

Paris, septembre 1902. La tour Eiffel s'est posée en souvenir indélébile de l'Exposition universelle de 1889, pointant son aiguille vers le ciel comme un espoir de prolonger le siècle des Lumières. Mais Paris et la France sont encore dans la tempête d'antisémitisme de l'affaire Dreyfus, qui n'en finit pas d'agiter la société française. Le pays est dreyfusard ou anti-dreyfusard. Émile Zola, l'un des auteurs les plus connus et réputés de son temps, aux nombreux succès littéraires, dont le fameux *Thérèse Raquin*, est drey-fusard. Il a pris position pour défendre Dreyfus dans une lettre ouverte à l'intention du président de la République, Félix Faure, « J'accuse ! », parue dans le journal *L'Aurore* le 13 janvier 1898. Avec cette tribune, il est devenu l'homme à abattre des anti-sémites et de l'extrême droite. La préfecture de police le surveille et tente de le protéger, d'un bout de képi peu vaillant. Condamné pour diffamation, il doit s'exiler à Londres, et se prend toute la haine de l'extrême droite et de l'armée. Sorte de prémices de l'antisémitisme des deux guerres mondiales qui suivront.

Il a tout perdu et se fait insulter quotidiennement dans certains journaux de droite ou satiriques. « Ma lettre ouverte "J'accuse !" est sortie comme un cri. Tout a été calculé par moi et je m'étais fait donner le texte de la loi, je savais ce que je risquais », écrit-il dans un de ses carnets. Zola est comme ça, entier, humaniste et profondément social. Rien ne lui échappe des drames de la condition humaine de ce XXe siècle débutant. Il se bat et se lance dans l'écriture des *Quatre Évangiles*, dont les deux premiers livres, « Fécondité » et « Travail », sont déjà parus. Il est en train de terminer « Vérité ». Avec sa soixantaine débutante, il est en forme et, entre travail et amour, il se passionne pour ce nouveau siècle et sa modernité. Il a découvert la photographie et son écriture ressemble à cet art nouveau. Pendant l'été 1902, il part avec sa femme Alexandrine dans leur maison de Médan, délaissant ainsi sa maîtresse.

Il rentre de vacances et gare sa voiture pas très loin de la place de Clichy. Il entend le brouhaha de la brasserie Wepler et les accordéons qui jouent dans ce Paris populaire et festif. Son appartement est au 21 bis de la rue de Bruxelles, dans le IXe arrondissement. Le début d'automne est bien frais. À cette époque, le chauffage est au bois ou au charbon. Les ramoneurs et les fumistes ont récemment nettoyé les cheminées dans son immeuble. Mme Zola demande au domestique de faire un petit feu. Le valet utilise des galets de charbon, un peu de bois, comme d'habitude.

D'ailleurs, cette cheminée a très bien fonctionné quelques semaines auparavant, comme le personnel de maison le confirmera. Les deux risques de ces chauffages parisiens sont bien connus : les incendies, toujours dramatiques dans ces immeubles, et l'intoxication au monoxyde de carbone.

Le 28 septembre 1902, le couple est heureux et se couche dans le lit surélevé. Pour y accéder, il faut un petit trois-marches. Tout est calme jusqu'à 23 heures. Alexandrine se réveille avec des nausées, des vomissements, des douleurs abdominales et des céphalées violentes. Elle se dit que c'est le dîner qui ne passe pas. Émile n'est pas bien non plus et présente les mêmes symptômes. Les deux chiens aussi sont malades. Alexandrine commence à s'inquiéter et veut réveiller le concierge, mais Émile refuse, bien qu'il se sente lui-même très mal : « Ça ira mieux demain. » Elle se recouche et lui reste sur une chaise. Doucement, le charbon de bois se consume sans air ni évacuation, diffusant le monoxyde de carbone. La chambre est envahie par le gaz mortel, inodore, incolore. L'état de santé du couple ne s'arrange pas et ils restent calfeutrés. Lentement, ils sont asphyxiés, globule rouge par globule rouge, qui ne transporte plus de molécule d'oxygène mais du monoxyde de carbone. Et, comble de l'horreur, les mécanismes du corps ne réagissent pas ! L'organisme de Zola se paralyse et se meurt sans lutte. Agonie effroyable et consciente. Alexandrine est restée un peu au-dessus du nuage toxique grâce au lit surélevé. À quelques minutes près, elle y passait aussi.

Au matin, la bonne arrive et commence le ménage. Le couple ne se réveille jamais au-delà de 9 heures, alors à 10 heures elle toque à la porte. Rien. Elle insiste puis elle prévient son mari, qui ouvre la porte. Zola est allongé par terre. Mort. L'écrivain est tombé de sa chaise le nez dans la nappe invisible de gaz. Sa femme, dans le lit, vit encore. Une ambulance de l'Assistance publique la transporte dans la clinique du docteur Défaut, au 50, rue du Roule, à Neuilly-sur-Seine. Des médecins tentent de réanimer Zola, mais c'est un échec. Certes, les techniques de l'époque ne sont pas celles d'aujourd'hui, mais il était mort depuis trop longtemps.

La nouvelle se répand dans Paris comme une traînée de poudre. Suicide, meurtre ou accident ? La préfecture de police veut éviter que ne se battent dans la rue les dreyfusards et les antidreyfusards. Un juge d'instruction est nommé et ouvre immédiatement une enquête dirigée par le commissaire du IXe arrondissement de Paris, le commissaire Cornette.

Zola est autopsié le 30 septembre par les médecins du laboratoire municipal. Les signes d'une intoxication au monoxyde de carbone sont évidents, l'arrêt respiratoire, puis cardiaque. Sa veuve, qui se remet doucement, raconte son agonie. Au laboratoire municipal de la police, des échantillons de matières et de déjections ont été déposés pour analyse. L'examen du sang des époux et du chien montre la présence de monoxyde de carbone. Ironie du sort, Zola avait une phobie depuis qu'il avait été touché par la fièvre typhoïde : mourir étouffé. Il avait aussi peur d'être enterré vivant.

Pendant que la police enquête dans l'appartement, une équipe de fumistes et de ramoneurs repasse pour finir les travaux sur les conduits de cheminée de l'immeuble d'à côté. Aucun policier ne s'y intéresse ni ne contrôle ce qu'ils font sur le toit ! Les experts de la police travaillent sur le conduit. Intact ! Ils tentent de refaire du feu, font contrôler le conduit de cheminée par l'architecte en chef de la préfecture et d'autres experts. Mais il faut aller vite ; alors, entre suicide et intoxication involontaire, le juge s'en fiche un peu. La presse s'emballe et attend des réponses ! Les politiques aussi veulent savoir. Zola est embaumé et l'enterrement a lieu au cimetière du Montparnasse.

Pourtant, Jules Delahalle, le valet de Zola, s'étonne, car, lorsqu'il a fait le feu, la veille du drame, « la cheminée fumait, encombrée de plâtras et de poussières de suie », alors qu'elle venait d'être ramonée. Le peuple hurle, les politiques aussi. Le juge clôt l'enquête en janvier 1903 : « accident », bien que les experts n'arrivent pas à reproduire l'intoxication ni à expliquer que les chiens s'en soient sortis vivants !

Le 4 juin 1908, le cercueil de Zola est transféré au Panthéon après un bras de fer entre dreyfusards et antidreyfusards. Lors de la cérémonie, un journaliste, militant d'extrême droite, Louis Grégori, tire au revolver sur Alfred Dreyfus, venu rendre hommage à Zola, et le blesse au bras.

Tout rebondit en 1953. Le journaliste de *Libération* Jean Bedel reçoit les confidences d'un membre d'extrême droite, un certain Hacquin, qui a connu lors d'actions nationalistes le fumiste Henri Buronfosse. Lui aussi membre d'un groupe d'extrême droite, ce dernier avait été le ramoneur du ministère de la Guerre et il avait de solides relations. Il est mort en 1928 mais il a raconté à Hacquin comment il avait assassiné Zola : un paquet d'étoupe et de plâtras posé la veille dans le conduit de cheminée et enlevé le lendemain. Alors que les ramoneurs travaillaient sur le toit le jour de la mort de l'écrivain, la police n'y a vu que du feu. Mais il est trop tard. L'assassin est mort, Zola repose avec les grands hommes au Panthéon et doit avoir de sacrées discussions avec Hugo et Jaurès.

Dreyfus et Zola ont montré la face d'antisémitisme profond et violent de la France. Zola devait mourir non pas assassiné, mais accidentellement, pour que les politiques maintiennent une illusion de paix civile. La réalité est qu'il fut assassiné par un militant d'extrême droite. Au regard de l'histoire, l'affaire Dreyfus et la mort de Zola ne sont rien d'autre que le début de la montée de l'extrême droite en France et en Europe. Zola a été l'un des premiers à défendre Dreyfus. Il a été assassiné pour son engagement. Quelle leçon le monde intellectuel, social et politique a-t-il tirée de son combat ? Aujourd'hui, où l'antisémitisme est toujours actif, sommes-nous dans la lignée de son combat ?

Émile Zola est mort à soixante-deux ans.

ALPHONSE ALLAIS
Mortel calembour

Paris, 28 octobre 1905. Montmartre résonne encore des combats de la Commune, sur l'air du « Temps des cerises », et regarde la tour Eiffel qui a posé ses pattes métalliques depuis l'Exposition universelle de 1889. Paris se veut moderne dans une France créative et conquérante dont 60 % de la population vit à la campagne. Les premières automobiles pétaradent dans les rues pendant que sous terre les premiers métros font vibrer le sol. Les rues pavées serpentent sur la butte comme des farandoles au son du piano à bretelles, de la rue Lepic à la place du Tertre, avec les bistrots, les petites maisons enchevêtrées. La rue est vivante où se mêlent tous les métiers, des boutiques partout, des cafés... Les artistes peintres galèrent, mais ont de grands ateliers, ils connaissent bien leurs potes chanteurs et musiciens. L'ambiance est à la fête viticole tous les soirs. C'est la Belle Époque sur l'air de « La Valse brune » ou de « Viens, Poupoule ! »... L'Exposition universelle a embelli Paris, l'accordéon résonne partout, des petits bals aux bistrots, jusqu'au cabaret bien connu Le Chat Noir. La France croit en une paix éternelle, la guerre de 1870 semble oubliée. L'espérance de vie est de quarante-huit ans mais des découvertes comme les rayons X ont aidé le progrès de la médecine. La loi de 1905, séparant les Églises et l'État, et imposant la laïcité, voulue par Aristide Briand, va être votée. C'est une évolution humaniste considérable ! Elle est très soutenue par les médecins car elle va libérer la science médicale des dogmes religieux. Les hôpitaux sont encore dans l'élan hygiéniste et ils sont en première ligne sur le front de la lutte contre la tuberculose.

À force de lire toutes ces pages d'agonies prestigieuses, je vous propose d'aller faire une petite pause à cette table de café en face du Moulin de la Galette ! Nous y croisons des peintres, comme Adolphe Willette, des musiciens, comme Erik Satie, et des chansonniers, comme Aristide Bruant... sans oublier l'humoriste et écrivain Alphonse Allais. Il boit beaucoup, et très peu d'eau. Avec des amis de bistrot, ils ont créé le club des Hydropathes, qui, comme son nom ne l'indique pas, rassemble des buveurs de vin, spiritueux et autres élixirs, qu'ils savourent tout en échangeant réflexions et bons mots.

Allais, lui, se marre, picole et écrit des chroniques dans les journaux en se jouant toujours des principes de l'époque : « On étouffe ici ! Permettez que j'ouvre une parenthèse. » Son comique est accompagné d'une critique de la société : « C'est fou comme l'argent aide à supporter la pauvreté. » Allais fait aussi dans l'humour noir à cette époque de la naissance de la loi sur la laïcité.

Il est *Le Canard enchaîné* et le *Charlie Hebdo* de son temps. Bon, c'est pas le tout, on boit, on boit, et si nous passions à table, aux côtés d'Alphonse. Le régime de l'époque est hypercalorique, gras et salé ! Cholestérol en sauce, cholestérol en terrine, cholestérol chaud et froid, et du rouge, du blanc, du champagne... Alphonse picole tout le temps et mange autant. Mais sa convivialité est source de création, et il écrit beaucoup de chroniques ou de textes pour le cabaret du Chat Noir. Du genre : « Il est toujours avantageux de porter un titre nobiliaire. Être de quelque chose, cela pose un homme, comme être de garenne, cela pose un lapin », ou « à vendre : casseroles carrées pour empêcher le lait de tourner ». Inutile de se demander si son humour est l'expression d'une pathologie psychiatrique maniaque − « il vaut mieux passer à la poste hériter qu'à la postérité » −, ni où commence le génie et où commence la folie − « ah, le vieux rêve des honnêtes gens : pouvoir tuer quelqu'un en état de légitime défense ». Alphonse s'en moque et se moque de tout, et surtout des personnalités en vue de l'époque. Il s'attaque même aux théories économiques. Il invente le « patriotisme économique », qui sera réemployé par Dominique de Villepin en 2005.

L'humour d'Alphonse est populaire à la manière des « Grosses Têtes » d'aujourd'hui. « Il y a des circonstances où il faut s'abstenir de jouer à la Bourse, au baccara ou à la roulette : primo, quand on n'a pas les moyens et, secundo, quand on les a. » Il faisait du Laurent Ruquier avant l'heure – « Impossible de vous dire mon âge : il change tout le temps » ; ou encore : « J'ai souvent remarqué pour ma part que les cocus épousent de préférence des femmes adultères », comme dirait le dessinateur Charb. Alphonse s'en donne à cœur joie avec des expressions qui sont devenues populaires : « J'ai poursuivi mes études sans jamais les rattraper. »

Mais à force de rester à table, il grossit à vue d'œil. Un jour, il présente une douleur et une tension au mollet. Sa douleur l'empêche de marcher. Comment s'est-il fait cela ? Est-ce une conséquence possible de son alcoolisme, de son obésité ? Toujours est-il qu'il finit par s'en inquiéter. Sa femme est partie pour quelques jours en Belgique et il doit se débrouiller seul. Pas simple d'aller faire les courses, de continuer d'écrire, de courir Paris. Il appelle le médecin, qui fait le diagnostic d'une phlébite : un caillot de sang bloque la circulation veineuse profonde. Véritable bombe dans le corps, car le caillot peut bouger à n'importe quel moment, vagabonder dans la circulation veineuse, arriver aux poumons, et c'est la mort assurée par embolie pulmonaire. Elle a été décrite pour la première fois en 1859, mais il n'y avait alors aucun traitement autre que le repos, qui... favorise les thromboses et les embolies pulmonaires. Alors, l'histoire naturelle suivait son cours.

Alphonse a été mis en garde par son médecin : il doit rester au lit ; s'il se risquait à marcher, le caillot pourrait prendre le départ fatal pour les poumons.

Rien n'y fait, sans doute par dépendance à l'alcool et à la convivialité : Allais va au café boire un coup. Le médecin l'a-t-il pris au sérieux, ou lui l'a-t-il pris au sérieux ? La légende veut qu'il ait dit en quittant l'établissement : « Demain, je serai mort. » Sans doute un trait de son humour noir. Cette phrase passe le temps et reste dans l'histoire du personnage, comme si l'humoriste avait voulu une fin drôle. Mais il faut y voir une phrase terriblement angoissante pour l'auteur. Allais se moquait-il de lui et de sa vie ou cachait-il ses angoisses ? Il est fort probable qu'il devait avoir des douleurs dans la poitrine et sans doute du mal à respirer. Mais qui pouvait prendre au sérieux ce génie de l'humour à l'écriture si légère ? Impossible de connaître les circonstances exactes de sa mort mais une chose est sûre : pour le bel Alphonse, chose promise est chose due !

Il a sans doute ressenti une douleur sourde, qui est montée en partant de la jambe, puis dans le ventre, et une douleur thoracique angoissante, terrible comme un coup de poignard. Un malaise avec de grandes sueurs, une pâleur, puis une intense fatigue. Il a alors eu le plus grand mal à respirer. Il s'est rendu compte de ce qui se passait. Puis l'arrêt cardiaque est arrivé, l'endormant à tout jamais. Ou bien il s'est endormi et la mort a frappé pendant son sommeil. Ce qui est certain, c'est que tous ses amis de libations l'ont accompagné au cimetière de Saint-Ouen où il est inhumé.

Toute la presse en a parlé ! Depuis, les calembours et autres histoires sur sa mort ont fait plusieurs fois le tour de son cercueil dans tous les sens. C'est comme le clown qui se fait mal, l'arroseur arrosé... Ceux dont ce caricaturiste se moquait tenaient leur revanche.

Mais la mort d'Alphonse rebondit en 1944. Les bombardements par les forces alliées font rage sur la région parisienne. Une nuit, une bombe de la RAF touche le cimetière, pulvérisant le tombeau et le cercueil d'Alphonse Allais. Il fallait bien que ça tombe sur lui ! La grande classe pour cet amateur de feux d'artifice et de blagues : se dissoudre dans le feu, la poussière et, badaboum, plus de tombe... Alphonse s'est envolé. Comme si son humour partait aux quatre coins de l'espace et du temps.

Allais est l'une des racines de l'humour de la presse écrite et des artistes de music-hall. Ah, mais veuillez m'excuser, il vient de m'envoyer un message pour cet ouvrage : « J'ai été invité à vous faire une conférence sur le théâtre. J'ai bien peur de vous décevoir. Shakespeare est mort, Molière est mort, Racine est mort... Et je vous avoue que moi-même je ne me sens pas très bien. »

Alphonse Allais est mort à cinquante et un ans. Il a arrêté de boire, de manger et surtout de rire... mais pas de nous faire rire !

MARIE CURIE

La lumière dans l'ombre

Sancellemoz, juillet 1934. Il fait beau et si doux tout en haut des montagnes de cette Savoie, à deux pas de la Suisse. La fenêtre de la chambre de Marie Curie, née Skłodowska, donne sur cette nature qu'elle aime tant. Elle ne voit pas seulement la beauté dans ce paysage, mais aussi tout ce que la nature renferme comme secrets à découvrir par la recherche. Elle voit ce que la vie fait et ce que la science doit pouvoir expliquer pour mieux aider l'humanité à vivre. La France est encore empêtrée dans la crise de 1929, coincée entre le progrès social et le nationalisme d'extrême droite. De bien braves politiciens construisent une ligne Maginot pour éviter que des soldats venus de l'Est attaquent. La grande guerre de 14-18 ne recommencera pas, s'exclament en chœur les politiques et la Société des Nations. Le Front populaire se prépare. Les syndicalistes parlent beaucoup des livres de Lénine, de Hegel et de Marx, tout en ignorant que l'auteur de *Mein Kampf* planifie l'application démoniaque de ses haines et de sa folie criminelle. Le monde politique minimise la montée de l'extrême droite et la haine qu'elle distille. Nous sommes à l'aube d'une guerre moderne et les politiques s'accrochent à un passé à jamais révolu, sans voir que l'enfer est à leur porte.

Mais dans sa chambre de sanatorium, Marie Curie se bat contre sa maladie, en quelque sorte professionnelle. Elle souffre beaucoup et la moindre toux l'épuise, marquant encore plus son visage amaigri et terreux, aux yeux cernés et éteints. Polonaise, elle est née à Varsovie dans une famille d'enseignants où le travail se fait dans l'austérité et la pauvreté. Elle garde tout pour elle, même ses tristesses. Elle tient la douleur à distance pour maintenir l'apparence d'un prompt rétablissement. Mais que les douleurs doivent être épouvantables au moindre mouvement.

Quelle femme extraordinaire ! En ces temps sexistes, comme depuis des siècles, la femme n'est pas l'égale de l'homme, pourtant elle a voulu devenir scientifique. Incroyable, pour l'époque ! De plus, elle est immigrée, ce qui est une audace supplémentaire en ce début de XXe siècle. Alors elle a beaucoup travaillé, souvent assise en tailleur par terre, entourée de ses livres et de ses cahiers. Elle a toujours été première en classe. Venue à Paris pour la suite de ses études, elle a terminé première en physique et en mathématiques. Puis elle devient la première femme à recevoir le prix Nobel de physique en 1903, et de chimie en 1911. Génie intellectuel et scientifique, elle travaille sans relâche. Même l'amour de sa vie, elle l'a rencontré dans ce milieu des sciences. Est-ce le bonheur des équations qui a exalté leur amour ? Ils auront deux beaux enfants. Mais une voiture à cheval noircit cette vie, en écrasant et tuant Pierre Curie en 1906.

Les larmes ne freinent cependant pas la passion de Marie pour la physique. De fiole en tube à essais, d'expérience en équation, dans son hangar glacial l'hiver et étouffant l'été, l'émigrée polonaise cherche incessament relâche. Rien n'arrête son cerveau. Elle s'occupe de ses enfants et de la science. Le radium est sa passion. Elle continue le travail entamé avec Pierre sur les radiations et les substances radioactives. Elle prend ces produits si dangereux à pleines mains, tout son corps vit la science et la subit. Elle ignore qu'elle va découvrir sans le vouloir les conséquences des radiations sur le corps humain.

Des années durant, elle a été au contact du radium et du polonium, dans son laboratoire, ainsi décrit par le chimiste allemand Ostwald : « Ce laboratoire tenait à la fois de l'étable et du hangar à pommes de terre. Si je n'avais pas vu des appareils de chimie, j'aurais cru que l'on se moquait de moi. »

Elle bosse et baigne dans les produits à radiations ionisantes. Ainsi, lorsque ses mains sont rouges et brûlantes, elle ignore qu'elle subit une radiodermite. Elle brûle de partout et est en train de détruire son corps. Elle souffre beaucoup des mains, mais aussi de la vue. À cinquante-six ans, elle devient quasi aveugle, à cause d'un glaucome dû aux radiations. Les médecins lui enlèvent ses cristallins. Sans aucune accommodation possible, elle commence sa rééducation. Quatre ans après, elle finit par retrouver une vue quasi normale grâce à de grosses lunettes. « Je vaux ce que je veux », répétait-elle.

Mais le plus grave continue sournoisement, silencieusement, à détruire son corps. Les petites quantités de radiations cassent sa moelle osseuse, qui crée et forme son sang. Depuis 1925 et la mort d'ouvriers qui travaillaient dans les usines de radium aux États-Unis, la communauté scientifique se doute de la nocivité des rayons. Sauf l'Académie de médecine de Paris, qui, en 1921, écrit dans un rapport que ces craintes ne sont absolument pas justifiées, qu'il n'y a aucun risque.

Vers 1933, une fièvre intermittente inexpliquée commence. Elle devient la compagne de Marie Curie. Les meilleurs médecins de l'époque sont consultés. Certains diagnostiquent une « asthénie fébrile témoignant du surmenage », d'autres font preuve d'audace en parlant de « grippe » et de « bronchite ». Équations simples de la médecine qui les conduisent à lui demander de faire ce qu'elle ne sait pas faire : se reposer. Elle se moque de ces médecins. La fatigue, la fièvre, le teint pâle, l'amaigrissement, les saignements des gencives et du nez, les bronchites récidivantes sont le quotidien de Marie Curie, qui ignore que les trois lignées sanguines, les globules rouges, les globules blancs et les plaquettes, sont en train de s'effacer avec le temps. L'oxygène est difficilement transportable par le peu de globules rouges qui lui restent. L'anémie engendre la grande fatigue, la dyspnée. Ses défenses immunitaires tombent car les globules blancs ne se fabriquent plus. Le moindre germe contamine Marie qui doit faire face à de nombreuses infections à une époque où il n'y a pas encore d'antibiotiques. De plus, sans plaquettes, la coagulation du sang ne se fait plus et le moindre saignement se transforme en risque d'hémorragie incoercible.

La fièvre devient permanente, elle la surveille comme elle le fait de ses expériences. Mais rien ne l'arrête. Au 36, quai de Béthune, sur l'île Saint-Louis, elle continue de travailler. Un jour, elle retourne, épuisée, à son Institut du radium. Ses collaborateurs la somment de rentrer chez elle. Elle fait une dernière fois le tour du jardin et, s'arrêtant devant un rosier malingre, demande à Georges, son mécanicien, de s'en occuper tout de suite. Pour la dernière fois, elle quitte son institut. Et elle répète : « N'oubliez pas, Georges, le rosier ! » Elle était comme cela, admirative de la nature et attentive aux autres.

À son domicile, ses pensées vont encore à la science : elle veut finir un livre sur la radioactivité. Les médecins se penchent sur son cas et pensent y voir la tuberculose. Ils refont des radios avec les appareils que Marie a contribué à inventer pour secourir les blessés de la guerre de 1914. Alors ils lui prescrivent « des enveloppements, des ventouses » et, ouste, l'envoient au sanatorium. Sa fille Ève l'accompagne, mais le voyage épuise Marie. Avant de partir, elle demande à ses collaborateurs de mettre de l'actinium à l'abri jusqu'à son retour pour pouvoir travailler. Elle reste dans l'espérance et la conquête de la vie. À aucun moment de son existence, Marie Curie n'a posé un genou à terre ; elle refuse d'être vaincue par le désespoir. Elle se bat comme la vie qui renaît sans cesse, comme l'infiniment petit qui affronte l'infiniment grand. Elle est le courage avec une puissance nucléaire et chaque raison de désespérer entraîne une réaction en chaîne qui lui permet de se battre.

Arrivant au centre de cure, elle fait un malaise. Les médecins se relaient à son chevet, par humanisme, pour ne pas la laisser seule. Mais c'est bien le seul traitement qu'ils peuvent lui administrer. Elle est irradiée et plus aucun de ses organes ne peut fonctionner.

Un matin, la fièvre, qui était au-dessus de 40 °C la veille, a disparu. Les médecins crient victoire. En fait, c'est le début de la fin de son agonie : elle ne dispose plus d'aucun mécanisme de défense. L'organisme s'arrête et, donc, même l'hyperthermie ne se fait plus, car il n'y a plus de cellules sanguines, plus de sécrétion cellulaire qui engendre la fièvre, plus aucune défense immunitaire. La mort est entrée dans la chambre et attend. Un professeur de Genève vient l'examiner et effectue une prise de sang : globules rouges et blancs sont proches de zéro ! Le corps de Marie ne vit plus, il n'est plus que douleur. Le 3 juillet, ses mains sont très douloureuses et son moral au plus bas. Cette grande dame qui a porté la science et inventé la chimie moderne meurt de n'avoir pas su se protéger. Sa fille et les docteurs restent à ses côtés et Marie Curie s'endort doucement.

Au matin, le soleil se lève et ses paupières se ferment. Son dernier sourire est lorsqu'elle regarde la mesure de son thermomètre : elle n'a plus de fièvre.

Son enterrement fut aussi simple que sa vie, avec sa famille, dans le cimetière de Sceaux, sans flagornerie. Lorsque son cercueil fut posé sur celui de Pierre, de la terre de Pologne fut jetée dessus. En 1995, l'immobilité des squelettes de Pierre et Marie Curie est chamboulée par Mitterrand qui transfère cette grande dame et son mari au Panthéon. Ainsi sont-ils ensemble pour l'éternité, comme une fusion. Mais au dernier moment, les autorités envelopperont son cercueil dans un autre, de plomb, car, même dans la mort, Marie rayonne encore.

Marie Curie est morte à soixante-six ans.

JEAN MOULIN
« Qui est Max ? »

À la mémoire de Lucie et Raymond Aubrac, deux amis à qui je ne cesse de serrer la main.

Caluire, le 21 juin 1943. La Gestapo arrête des résistants chez lui, le docteur Frédéric Dugoujon : Jean Moulin, Raymond Aubrac, Henri Aubry, Albert Lacaze, Bruno Larat, Émile Schwartzfeld, André Lassagne et René Hardy. D'emblée, ils se font horriblement tabasser dans le salon du médecin. « Qui êtes-vous ? Qui est Max ? » Les nazis n'ont que les noms de code, et Max est le chef de la Résistance, mais lequel de ces hommes est-ce ? Tous conduits dans les locaux de la Gestapo, à l'école de santé de Lyon, sauf Hardy, qui s'enfuit très facilement. Selon l'histoire, c'est lui qui les a dénoncés (des années après, la justice l'acquittera). De nouveau ils sont frappés sans répit. Puis ils sont transférés à la prison Montluc de Lyon, pour être isolés les uns des autres. Klaus Barbie, dit le « boucher de Lyon », est le chef local de la Gestapo. Même les nazis savent qu'il est fou. Et l'enfer commence. Jean Moulin sait tout et ne doit rien dire, il y va de l'avenir de la France libre, et tous doivent protéger Max.

Dans leur cellule, ils n'ont plus rien à bouffer ni à boire, c'est le hors-d'œuvre de la torture. Le 22 juin au matin, les deux premiers à être torturés sont Aubry et Lassagne. Ce dernier est pris pour Max, ce qui déchaîne la folie de Barbie. Aubry ne parle pas, alors, en un instant, il est descendu en courant dans les escaliers avec des SS qui hurlent et l'attachent à un poteau devant un peloton d'exécution. Silence. Feu ! Ils tirent à deux reprises à côté de lui. Il n'est plus que peur.

La Gestapo a des techniques pour torturer les prisonniers, différentes pour chacun. Assis sur une chaise, mains menottées dans le dos, ils reçoivent une trombe de coups de poing, de pied et de nerf de bœuf. Ils hurlent. Raymond Aubrac est battu à plusieurs reprises ; à chaque fois il s'évanouit. « Ce fut ma manière de m'évader. La pire de ces tortures, c'est qu'en rentrant en cellule nous savions que ça allait recommencer le lendemain. » Barbie assiste à la torture, sa secrétaire à côté de lui. Aubrac raconte : « Ils m'ont battu jusqu'à ce que je perde connaissance et je me suis réveillé avec un chien à côté de moi et Barbie qui avait sa secrétaire sur ses genoux ! » De retour au cachot, on les empêche de dormir, de boire, de manger. Les tortionnaires veulent le chef. « Qui est Max ? » Aux insultes s'associent les menaces contre leurs familles.

Certains sont agenouillés sur une règle triangulaire avec un tortionnaire sur leurs épaules. Ils reçoivent des coups violents qui font éclater leur visage terrorisé, leur corps est brisé côte après côte, membre par membre, doigts des pieds et des mains. « Qui est Max ? » À certains, les nazis font des fractures à coups de masse ronde en bois, de marteau ou de bâton. À d'autres, des plaies au rasoir sur les pieds pour y poser du sel. Il y a aussi les brûlures sadiques à la cigarette ou à la lame à souder, ou avec un fil électrique à la cheville et l'autre sur les parties génitales. Les dents limées, les ongles arrachés, les sévices aux orifices naturels... La torture est permanente.

Barbie en plonge quelques-uns dans l'eau glacée, menottes dans le dos et tête enfoncée jusqu'à suffocation complète. Alors, il les fait sortir de la baignoire en leur arrachant les cheveux et les réveille à coups de botte. « Qui est Max ? » Les martyrs sont aussi pendus par les mains ou par les pieds. Les prisonniers hurlent et les bourreaux jubilent. Les autres attendent leur tour, terrorisés à l'écoute des cris. Les gars partent en marchant et reviennent défigurés, portés par des SS. Mais ces hommes blessés et humiliés tiennent par une force inouïe : ils ne parlent pas. Écoutez le silence, il parle encore de leur courage et résonne de leurs cris.

Moulin fait sa dernière promenade dans la prison le 22 juin. Il marche à côté du docteur Dugoujon. Il lui dit : « Je vous souhaite bon courage. » Le supplice de Moulin commence le mercredi 23 juin vers 2 heures du matin. Suspendu par les mains puis par les pieds, il est massacré. « Qui es-tu ? » hurle Barbie.

« Je suis dessinateur peintre. » Pour le prouver, il dessine Barbie et sa secrétaire. Le jeudi, de l'aube à tard dans la nuit, il est torturé de nouveau. Ce 24 juin, Aubrac voit Moulin par l'œilleton de sa cellule pour la dernière fois. Deux SS l'ont ramené en le tenant sous les bras et en dévalant les escaliers puis l'ont posé par terre dans son cachot. Il a le crâne rasé et plein de pansements sales. Ils posent des linges humides sur sa figure, histoire de dégonfler les hématomes avant la torture du matin. « Qui est Max ? » Silence, toujours.

Mais Aubry craque vers le 25 juin et dit qui est Max. Barbie libère toutes ses folies de tortionnaire nazi sur Moulin. Le psychopathe tient le grand chef de la Résistance.

Moulin se tape la tête contre le mur et essaye de sauter d'un escalier pour se tuer. Il répète en boucle qu'il est artiste. Barbie redouble son supplice. Jean Moulin espère-t-il qu'il va pouvoir se noyer lorsqu'il est plongé dans la baignoire ? Nul ne sait ce qu'il s'est dit ni d'où il tirait sa force, comme si le peuple de la France libre l'encourageait.

Les autorités nazies apprenant que Max est entre les mains de Barbie, elles ordonnent son transfert à Paris, car elles le veulent vivant. Le 28 juin, Jean Moulin quitte en voiture la prison Montluc pour la capitale. Le voyage est épouvantable, plus de huit heures sur des routes improbables. À son arrivée au 84 de l'avenue Foch, siège de la Gestapo, deux médecins nazis constatent que « le préfet est dans un état lamentable ». Ils veulent le maintenir en vie. Les coups ont dû faire éclater la rate, le foie, les reins, avec une atteinte pulmonaire, et des hématomes intra-crâniens... Jean Moulin est un polytraumatisé très grave et sans soins.

Il est transporté à la villa Boemelburg à Neuilly-sur-Seine, non loin de l'Hôpital américain, qui fonctionne malgré l'Occupation. Aubry et le général Delestraint le rencontrent une dernière fois. Pour l'identifier. « Comment voulez-vous que je reconnaisse cet homme dans l'état où il se trouve ? » répond Delestraint aux nazis.

Posé sur une civière, sans autre traitement que des pansements sales, Moulin est mis dans un train pour Berlin, gare de l'Est. Il est mort sans parler. Son cadavre est déposé au poste de police de la gare de Metz le 8 juillet. Un médecin nazi signera un certi-ficat : « À la suite de l'autopsie réalisée par moi-même, la mort est due à un arrêt cardiaque. » Men-songe : sa mort est due à une défaillance multivis-cérale engendrée par la torture.

Peut-être sont-ce ses cendres qui ont été retrouvées. Est-ce lui que Malraux, les soldats de l'an II et les gloires de la nation ont accueilli au Panthéon en décembre 1964 ? Seul le silence de l'Histoire le sait. Mais regardons son visage, c'est celui de la France de la Résistance.

Jean Moulin est mort à quarante-quatre ans[1].

---

1. À lire : Daniel Cordier, *Jean Moulin. La République des catacombes*, Paris, Gallimard, 1999.

CAMILLE CLAUDEL

Une maladie d'amour

Paris, 10 mars 1913. Le ciel est gris et bas sur l'île Saint-Louis. Le fourgon et le pas des chevaux qui arrivent au 19, quai de Bourbon n'empêchent pas la Seine de suivre son lit. Des hommes silencieux en uniforme, venus de l'hôpital pour aliénés de Ville-Évrard, viennent chercher Camille Claudel. Elle a quarante-neuf ans. Elle ne va pas bien depuis quelque temps, hurlant parfois, pleurant souvent et se laissant aller dans la saleté de son appartement. Seuls comptent ses sculptures et ses chats, qu'elle nourrit avant elle. Camille est seule, le cœur blessé de son amour pour Rodin et pour son père. Elle a clos les fenêtres par peur que Rodin continue de lui piquer ses idées (pour certains), de s'en inspirer (pour d'autres) ou de créer par lui-même. Il est son amour et sa haine, son bonheur et sa torture ; tout est devenu confus avec lui, elle ne sait plus le sens de sa vie. Camille travaille sans cesse, et, lorsqu'elle n'est pas contente de son travail, elle lance ses œuvres dans

161

l'eau de Paris ! Elle n'a pas le sou ni les relations pour vivre de son travail.

Ce 10 mars est le début d'un cauchemar. Elle apprend que son père est mort et qu'il a été enterré deux jours avant. Personne de sa famille ne l'a prévenue. C'est un drame pour elle, de ne pas avoir été là dans les derniers instants. Elle est foudroyée par la nouvelle, d'autant plus que c'est son frère Paul qui a pris contact avec le directeur de l'asile de Ville-Évrard pour la faire enfermer. Tel est l'usage de l'époque : le fou va dans un trou et l'avis médical compte peu.

Camille est abattue par la mort de son père, épuisée par la pensée de son amour, dévorée par son travail, usée par les problèmes matériels, car ses œuvres ne se vendent pas. À l'asile, on use de la facilité des quatre murs et de la porte pour enfermer les drames psychiatriques ou les indésirables. Ainsi, le malade se torture lui-même avec ses angoisses, ses délires, ses peurs, sa désespérance, sans aucun traitement.

Camille parle tout le temps de Rodin, mais elle n'est dangereuse ni pour elle-même ni pour autrui. Rodin, l'artiste reconnu et respecté, l'homme reçu partout et qui sert de la sculpture aux ministres de la République. Il a aidé puis aimé la jeune et belle Camille, alors âgée de vingt ans. Rapidement il a utilisé son génie. Les deux ont été amoureux dans une tempête de création, faite de passion, de séparation et d'union plus solide que le marbre. Mais Rodin l'a quittée car Camille est devenue difficile, elle lui reproche toutes ses maîtresses et de lui voler des idées. Peut-on juger Rodin de ne plus l'aimer, de ne plus vouloir la supporter ?

À l'époque il n'y a pas d'alternative aux pathologies psychiatriques quelles qu'elles soient : c'est l'asile. En 1913, il est facile d'enfermer les « aliénés ». Dans la chambre qui se referme après le premier entretien avec le psychiatre, Camille sent que sa vie va s'arrêter. Elle tente d'expliquer qu'elle n'est pas folle, mais cela ne fait qu'empirer. Où commencent le génie et la folie de l'artiste et comment cette société bourgeoise parisienne pourrait-elle supporter les doutes et angoisses de cette artiste ? La société aime le créateur institutionnel bien propre, comme Rodin, et pas du tout les extravagances d'une Camille, femme moderne et créatrice, qui rassemble ses sentiments, ses émotions, ses passions et leur donne mouvement. Elle anime d'une sorte de vitalité des matériaux inanimés qu'elle pétrit, casse, malaxe. Chaque millimètre de ses sculptures est une émotion de beauté, poussée dans la terre et la glaise. Elle polit les pierres, taille le plâtre, l'onyx et le marbre. Ainsi, « la valse » se change en pierre et « la vague » reste figée à jamais.

La porte de l'asile est définitivement fermée sur Camille par sa mère : le lendemain de son internement, lors d'une réunion de famille, elle décide de la laisser enfermer. « Elle est folle », et la rumeur devient réalité pour la plus grande satisfaction de Rodin, ainsi débarrassé d'une maîtresse gênante par son génie et, surtout, par son amour pour lui. Les médecins obéissent.

L'année suivante, la Première Guerre mondiale est déclarée. Les hôpitaux sont réquisitionnés pour soigner les soldats de retour du front. Camille est transférée dans le Vaucluse, à Montfavet, asile d'aliénés. Jamais sa mère n'ira la voir, et, même après la fin de la guerre, elle ne sera pas rapprochée de Paris. Pourtant, un psychiatre demandera à la famille de la libérer et de pouvoir la suivre en consultation. Sa mère refuse. Elle meurt en 1929, mais personne ne revient sur la décision, pas même Paul Claudel, qui pourtant voit chaque année sa sœur abandonnée souffrir un peu plus.

Camille attend. Elle pense en boucle à son père, à son frère Paul et à Rodin. Les hôpitaux d'aliénés de l'époque sont un massacre, où les viols se mêlent aux meurtres, entre malades sans surveillance. Les suicides sont banals. Avec le temps, la colère passe, et Camille s'enferme dans ses songes. Elle aime encore Rodin jusqu'au plus profond de sa détresse. Chaque jour ressemble au précédent et sera comme le lendemain. Chaque heure a son rite et le rythme est invariable. Camille se meurt doucement d'ennui, et son génie artistique en trouve les mots dans les lettres qu'elle écrit encore pour demander de l'aide, mais elle ne sculpte plus. Elle perd ses dents et se tasse. Elle vit dans ses rêves, dans le passé pour tenir son présent et rêver de l'avenir à Villeneuve-sur-Fère, sous les beaux arbres et dans les bras de son papa.

Camille a soif de l'empathie de quelques infirmières qui l'écoutent et la soutiennent ou lui donnent un peu de papier pour dessiner. Les conditions psychologiques sont épouvantables et l'attente sordide comme un lent étranglement. Lorsque Paul vient la voir, une fois par an, la joie est immense. Camille en pleure, le serre dans ses bras et ne veut plus le lâcher. Chaque fois elle espère repartir avec lui, mais toujours il la laisse là, dans sa prison.

1940. Pétain fait le dictateur paillasson des nazis, et ses premiers décrets contre les malades psychiatriques sont radicaux : les restrictions font qu'ils recevront moins de 500 kilocalories par jour. En six ans, près de cinquante mille aliénés seront exterminés par la faim. Les asiles commencent par ne plus recevoir d'argent pour nourrir les malades. Puis les rationnements ne donnent pas aux établissements ce qui leur est dû. Les Français de la collaboration vont laisser mourir ces malades psychiatriques, comme le recommandaient les nazis. La France a eu ses propres camps de concentration. Tout le monde se fout des fous et encore plus en temps de guerre.

Les malades se battent pour bouffer et le personnel leur vole leur maigre pitance pour leur propre famille. À la folie pathologique s'ajoute le drame de la folie de l'homme. À l'état psychologique de Camille s'ajoute maintenant la faim. Elle maigrit à vue d'œil. Sans produits frais, sans protéines ni gras, sans vitamines ni apports suffisants en quantité et qualité, elle perd ses cheveux, sa peau se flétrit. Elle souffre de nombreuses infections de la peau, des poumons. Ses muscles fondent et sa vue se trouble. Son état s'accompagne d'œdèmes des membres inférieurs, caractéristiques des grands jeûnes. Elle n'a plus de force pour marcher. Son médecin, venu la voir, lui apporte un peu à manger et elle dévore. C'est ce qu'il écrit à Paul Claudel pour qu'il lui envoie des vivres, qu'il fasse quelque chose pour elle, pour améliorer ses conditions de vie.

Automne 1943, Camille reste allongée tout le temps et ne parle presque plus. Le jeûne et l'alitement peuvent expliquer l'arrêt cardiaque qui l'emporte le 19 octobre. Elle meurt le corps décharné. Elle est enterrée un matin en petit comité et par le curé dans le cimetière de Montfavet. Avant la fin de la guerre, comme il faut de la place pour enterrer tous les cadavres de l'hôpital, sa dépouille est jetée dans la fosse commune. L'humiliation continue même dans sa mort. Camille est bannie. Dans les années 1950, la famille réclamera son corps, mais nul ne sait où il est, en raison de travaux successifs.

La République a enfermé pendant trente ans une femme lucide, qui n'était pas plus malade psychiatrique que la moyenne de la population. Son cas a contribué à révolutionner la pensée des psychiatres sur l'enfermement, sur le lien entre le génie et la folie, entre l'amour et la passion.

Camille Claudel est morte à soixante-dix-neuf ans.

6 JUIN 1944
Hémoglobine Beach

Normandie, mardi 6 juin 1944, 0 h 10. La nuit est
calme quoique pluvieuse, le ciel et ses nuages, la
terre et ses vaches, le vent sur les plages, et le peuple
dort. Sauf la Résistance, qui a reçu les messages.
Après un ultime report le 5 juin, l'opération *Overlord*
est lancée en Angleterre. En France, les nazis
occupent le pays et le gouvernement vichyste d'extrême droite participe au drame du peuple français
comme de l'Europe. C'est de cette opération que la
nouvelle Europe va naître.

Trois millions de jeunes soldats de toutes couleurs
de peau, de toutes croyances, anglais, américains, canadiens, français, polonais, australiens, belges, grecs, néo-
zélandais, tchécoslovaques, norvégiens et néerlandais,
vont débarquer en France pour se battre contre les
Allemands. La quasi-totalité de ces troupes n'a jamais
pris le bateau, ni sauté en parachute, ni fait la guerre,
ni jamais vu la mort, ni tué. De nombreuses inven-
tions sur l'armement et sur la logistique ont été

conduites avec plus ou moins de réussite pour permettre le succès de cette opération, comme « Pluto », le pipeline qui relie l'île de Wight à Port-en-Bessin, afin de faire arriver le carburant sur le continent.

C'est aussi le cas pour les services médicaux alliés, qui disposent de deux éléments nouveaux : des traitements améliorés par la transfusion sanguine et la pénicilline, ainsi qu'une organisation au plus près des victimes. Le secourisme se fait par les soldats, qui ont tous dans leur barda un manuel de premiers secours simple et efficace. Arrêter une hémorragie, immobiliser une fracture, faire un bandage sur une plaie, appliquer un antibiotique, positionner le blessé en position de sécurité en attendant qu'il soit évacué par des infirmiers et des soldats qui regroupent les blessés en un point à l'arrière du front où s'effectue leur triage. Dans ces postes de secours proches des lieux de combat, les morts sont regroupés, les blessés les plus graves perfusés et envoyés en extrême urgence vers l'arrière. Aux cas trop désespérés, on donne de la morphine et c'est tout en attendant la mort. Ceux qui sont évacués tout de suite sont ceux que les chirurgiens peuvent sauver en agissant vite. Enfin, restent les blessés légers, qui patientent. Le transfert vers les navires-hôpitaux conçus pour le débarquement ou vers les hôpitaux de campagne se fait comme il peut, en Jeep, en camion... Les Alliés débarquent avec toute une organisation hospitalière pour soigner les soldats car ils n'ont pas confiance dans ce qu'il reste des hôpitaux français occupés.

En face d'eux, les Allemands attendent le « jour le plus long », sur ordre de Rommel. Leur système de santé occupe les hôpitaux français, mais ils ne font pas confiance à la médecine française, alors ce sont des médecins de la Wehrmacht, basés à Caen ou à Cherbourg, qui soignent les soldats. Sur cette partie du mur de l'Atlantique, quarante mille nazis attendent, suréquipés, bien entraînés. Cette nuit du 6 juin, ils dorment.

Pendant ce temps, les Alliés prennent le bateau ou l'avion. Dans les deux cas, les soldats vomissent, car la météo est entre deux tempêtes : les brumes sont épaisses, les vents de force 5, la mer avec des creux de deux mètres. Imaginez ces jeunes soldats malades, privés de sommeil, la peur au ventre, entre les odeurs de vomi et de gasoil, dans le froid de la nuit.

Les premiers à atteindre les côtes normandes sont trois cent soixante parachutistes éclaireurs dont la mission est de baliser les zones d'atterrissage. Puis six premiers planeurs atterrissent avec à leur bord cent quatre-vingts soldats britanniques, pour prendre Pegasus Bridge, le pont stratégique de la commune de Bénouville, sur l'Orne. Ils réussissent en quinze minutes. Pour soigner les blessés, le docteur Masson, médecin anglais, utilise le bistrot qui jouxte le pont. Il laissera ce mot à la patronne pour s'excuser : « La maison était seulement pour le traitement des blessés alliés par moi... Les fenêtres sont cassées par les obus allemands. » Ainsi, les deux premiers Français libérés le 6 juin 1944 ont été Mme et M. Gondrée, patrons de ce bistrot.

Peu après, quinze mille six cents parachutistes britanniques et américains sautent ou tentent de le faire. Le mauvais temps les éparpille comme des poussières. La moitié de ces soldats vont mourir dans la nuit. Des avions explosent, touchés par les tirs allemands. Le para John Steele atterrit en haut du clocher de l'église de Sainte-Mère-Église. Pendant que les Allemands mitraillent ses potes, lui fait le mort pour éviter d'être tué. Il en gardera une surdité traumatique, car les cloches ont sonné dans ses oreilles. Beaucoup d'autres vont disparaître à jamais, noyés dans les marais avec leur barda ou dans le feu des avions touchés. D'autres, dont le parachute n'a pas fonctionné, s'écraseront.

Les infirmiers des troupes aéroportées regroupent les blessés qu'ils trouvent. Les médecins les soignent, avec de la pénicilline, qui arrive pour la première fois en France, et des sulfamides, plus anciens. Ils utilisent aussi des anatoxines antitétaniques, des antiseptiques, répandent de la poudre de sulfamide sur les plaies, immobilisent les fractures. Pour calmer les douleurs, la morphine en sous-cutané est d'emblée injectée. (Il faudra attendre les années 1990 pour qu'en France la prise en charge de la douleur par la morphine soit reconnue et généralisée.) Ils tentent d'arrêter les hémorragies par des pansements compressifs, des transfusions et la pose de pinces hémostatiques dans les plaies. Parfois, c'est un succès, et le blessé attend l'avion qui le ramènera en Angleterre. Mais beaucoup vont mourir pendant cette attente. En vue du débarquement, la Grande-Bretagne s'était dotée d'un réseau moderne et efficace pour transfuser et sauver des blessés, qui n'existait alors nulle part ailleurs. La transfusion a été la guerre dans la guerre entre les nazis et les Alliés. Une armée avec un système de santé compétent et efficace, c'est autant de soldats qui partent et repartent à la guerre. Les Britanniques avaient organisé tout un maillage de don du sang sur leur territoire. Ils avaient progressé sur les techniques de transfusion et démontré toute l'importance de cette technique pour sauver des vies. Ils avaient aussi découvert le moyen de conserver le sang, moyen encore utilisé aujourd'hui. Ainsi, le plasma était directement acheminé au pied des blessés, un peu comme un pipeline de plasma, et beaucoup ont été sauvés de cette façon. Les nazis n'avaient pas du tout ces connaissances ni ces techniques.

Pendant ce temps, sept mille six cent seize tonnes de bombes tombent sur la Normandie, tuant soldats ennemis, civils, vaches, chevaux, détruisant maisons, bâtiments, paysages... Victime d'une stratégie épouvantable, la ville de Caen sera bombardée et pratiquement rasée. Personne ne porte secours aux civils, qui se débrouillent comme ils peuvent. Les Allemands sont submergés et ne peuvent prendre en charge leurs blessés. Au large, l'armada de six mille neuf cent trente-neuf navires s'est réunie et fonce vers les quatre-vingts kilomètres de plages divisés en cinq zones.

À 10 miles de la côte, les bateaux s'arrêtent. Les soldats montent dans les barges de débarquement. La mer est démontée. Chaque embarcation a son infirmier : *the doc*. Les soldats ont peur, la plupart sont malades. Parfois, il y a des véhicules, comme ces vingt-neuf chars amphibies qui, à peine sortis de la barge, couleront à pic avec leurs hommes. Seulement deux de ces tanks arriveront sur la plage. Des barges exploseront ou sombreront avant d'accoster, et leurs équipages seront noyés. Les Allemands voient l'armada vers 5 h 30, ils se lèvent, reposés et au sec, ils attendent, prêts à tirer. Leurs mortiers font pleuvoir des obus, leurs mitrailleuses font un bruit continu, leurs canons visent juste.

Les barges atteignent les plages. La marée est montante et la houle très forte. Les soldats tombent dans une eau à 10,5 °C, et le vent du sud-ouest les refroidit encore plus. Fatigués par le voyage, leurs vêtements trempés, avec sur le dos un équipement de trente kilos, ils doivent courir dans l'eau, sur le sable, éviter les tirs et les mines...

C'est à 6 h 30 que le premier soldat américain pose les pieds sur le sable d'Utah Beach. Par chance son groupe s'est trompé de quelques kilomètres et débarque dans le secteur le moins défendu. Ce sera la plage la moins meurtrière, avec cent quatre-vingt-dix-sept morts et disparus. Conquise en trois heures.

À 6 h 35, les rangers s'élancent sur la plage d'Omaha. Toutes les positions allemandes tirent, car aucune n'a été touchée par les bombardements. Trempés, lourds, rendus sourds par les bombes et les explosions, les soldats sont terrifiés à la vue de ceux qui tombent, par le sang qui gicle comme un geyser de leurs artères rompues. D'un instant à l'autre, la mort prend leurs potes. Des cris, des gémissements partout. Ceux qui ne sont pas encore touchés continuent de courir et ne s'arrêtent pas pour aider celui qui vient d'être abattu. Une barge arrive et prend feu avec tout son équipage. Les rares survivants sont victimes de brûlures épouvantables, qui les font hurler à cause de l'eau salée. Là-bas, une embarcation explose lorsque le soldat avec son lance-flammes est touché par des balles. Non loin, un groupe vole en éclats sur une mine. Ici, un soldat est amputé de son membre supérieur gauche par un tir, il le ramasse avec sa main droite, puis court en hurlant avant de tomber, mort. D'autres coulent et se noient avant de toucher terre, car la barge ouvre en eau profonde. Ceux qui arrivent jusque-là voient une plage de morts, un tapis d'uniformes couchés, des vagues de sang, de cris, de hurlements... Figés dans le sable ou derrière des cadavres, les soldats ont peur d'avancer. Ils sont sidérés par la violence, par tous ces morts, partout. Quarante rangers d'une barge sont flingués avant même d'en sortir. Les Alliés ont surnommé les mitrailleuses allemandes « tronçonneuses d'Hitler », à cause du bruit que font mille deux cents balles à la minute.

Les nazis tuent les infirmiers, visant la croix rouge sur leurs casques, et cette violence démoralise encore plus les soldats. Les chirurgiens courent de tous côtés pour tenter de sauver des blessés en mettant des pinces sur les artères ou en posant des drains dans les poumons, mais même eux se font tirer dessus. Les survivants, sous les balles, nettoient les plaies, trans-fusent avec le plasma, parce qu'un malade qui saigne est un malade qui meurt. Des soldats ont le ventre entièrement ouvert, éviscéré, hurlent *dad* ou *mom* avant de mourir. Les plaies aux fesses, très graves, sont nombreuses en raison des explosions et des frag-ments de fer ou de pierres qui fusent de tous côtés. Des têtes sont fracassées par les balles. Les toubibs tentent de regrouper les blessés et de les trier en caté-gories : mort ou « fichu », grave ou « priorité », et léger. Débarqué un peu plus tard, vers 8 heures, le colonel Taylor, commandant du 16e régiment d'in-fanterie US, a cette phrase : « Deux sortes d'hommes resteront sur cette plage : les morts et ceux qui vont mourir. Alors, foutons le camp d'ici. »

Après neuf heures quarante-cinq de carnage, les Alliés réussissent à franchir les dunes d'Omaha. Sur trente-quatre mille deux cent cinquante débarqués, mille cinq cents rangers ont été tués, deux mille blessés ou portés disparus. Mille deux cents Alle-mands sont morts. Ce n'est que vers la fin des combats que les premiers blessés pourront être remis dans des barges vers les navires-hôpitaux. Certains Allemands blessés seront achevés lors de représailles dans les postes de secours, où des soldats alliés régleront leur compte à ceux qui leur ont tiré dessus.

À Gold Beach, les Anglais ont fait débarquer d'abord les blindés et ont pu vaincre les obstacles plus facilement. Quatre cent treize morts, blessés ou portés disparus, et vingt-cinq mille hommes débarqués en dix heures.

À Juno Beach, les Canadiens ont mené un combat violent : trois cent cinquante-cinq tués, sept cent huit blessés ou portés disparus. C'est surtout la mer qui a tué, en projetant certaines embarcations vers les rochers.

Sword Beach fut la plage où les seuls cent soixante-dix-sept soldats du commandant Kieffer des Forces françaises libres débarquèrent avec les Britanniques. Le soldat Bill Milli joua de la cornemuse sans s'arrêter ni être blessé. Six cent trente morts, blessés ou portés disparus sur les vingt-huit mille huit cent quarante-cinq soldats débarqués.

Sur la pointe du Hoc, des batteries visaient les bateaux. Deux cent vingt-cinq rangers ont attaqué par la mer, sous le feu des mitrailleuses ennemies. Ils ont monté cinquante mètres de falaise au moyen de cordes et d'échelles fournies par les pompiers de Londres. Cent trente-cinq seront tués par balle, explosion ou chute depuis la falaise. Les canons allemands n'avaient pas été installés.

Pour la première fois, le choc psychotraumatique est pris en compte. La peur est le premier ennemi, et les nazis savent laisser agoniser un soldat pour bloquer les autres. On traite ce choc au nembutal, un barbiturique. Sans doute l'effet amnésiant était-il le plus recherché. Mais, après ce jour, les soldats se sont souvenus toute leur vie de leur premier mort, de ceux qu'ils ont tués.

Les opérations du débarquement ont fait chez les Alliés dix mille trois cents morts, blessés ou portés disparus, dont quatre mille sur les plages. À la fin de la bataille de Normandie, quarante mille soldats alliés étaient morts, vingt mille civils avaient été tués ou blessés. Et environ cent mille vaches et huit mille chevaux. Il paraît que, sur ces plages, les crabes et les crevettes ont été très gros l'année suivant le débarquement... Il arrive encore, parfois, que des bombes tapies là explosent et tuent des civils en Normandie.

Chaque année, les politiques de tous les pays alliés se rendent sur les tombes de tous ces jeunes soldats et civils morts le 6 juin ou les jours suivants pour détruire le nazisme, restaurer la liberté et construire une civilisation humaniste. Ce 6 juin 1944 est le point de départ de la construction européenne d'aujourd'hui. Moi qui suis d'une génération qui n'a connu aucune guerre, je me demande souvent : suis-je digne du sacrifice qu'ont fait ces jeunes qui sont morts pour sauver l'humanité ?

Les soldats alliés du Débarquement sont morts à vingt-trois ans en moyenne.

BOTUL
Une vie romanesque pour l'éternité

Lairière, 15 août 1947. Dans la chaleur de l'été, le petit village résonne très vite de la nouvelle : Botul est mort. Depuis six jours, il était recherché dans les montagnes des Corbières. L'inventeur du botulisme, théorie reprise par les plus brillants philosophes du siècle, salué par de nombreux critiques et dont les thèses sont si souvent débattues. Il rêvait de mourir dans son lit, comme Kant, mais son destin sera différent.

Ayant souffert de tuberculose dans l'enfance, sa santé n'a jamais été bonne. Il en garde une défiance envers les docteurs, comme Voltaire, une moquerie comme Molière, les gardant à distance, comme aurait dit Churchill. Botul s'intéresse à la médecine par nécessité, juste après avoir vu ses amis du 3e régiment d'infanterie se faire balayer comme l'herbe, au vent mauvais, lors d'une charge sous la mitraille allemande en 1916. Seul au milieu des morts en train de se vider de leur sang telles des outres de sauce tomate, il a dévalé dans une tranchée avec le sang de ses potes qui coulait comme un petit ruisseau sur son uniforme en laine. Puis il s'est mis à baver et à vomir lorsqu'il a reçu le nuage de gaz moutarde. Le nez dans la boue, l'odeur de brûlé, les cris des soldats déchiquetés et la peur se sont à jamais gravés dans sa mémoire.

Souffrant d'une névrose post-traumatique, il est placé dans un hôpital de l'arrière. Geneviève Truchot, jeune et belle infirmière, s'occupe de lui redonner le moral, et le jeune Jean-Baptiste tombe amoureux. Elle lui donne beaucoup d'amour et la syphilis, comme il le décrit avec un style digne de Shakespeare dans une lettre peu connue où il parle de sa souffrance d'une infection urinaire. Rarement un auteur a décrit comme lui les brûlures mictionnelles, avec les détails des écoulements qui lui rappelaient les pâtisseries de son enfance ! Entre les deux guerres, il fait beaucoup de voyages au cours desquels il attrape à peu près toutes les maladies exotiques et tropicales, ce qui n'arrange pas ses problèmes respiratoires. Sa santé et son moral sont bons jusqu'à la mort de sa Geneviève, renversée par un cheval en plein Paris, le soir de Noël 1920. Elle est conduite au poste de garde de l'Hôtel-Dieu, où une infirmière pose un tampon d'ouate avec de l'alcool iodé en attendant le chirurgien, mais l'artère saigne en geyser et Botul, terrorisé, ne peut détacher les yeux de ce spectacle terrible, se souvenant du champ de bataille. Il reste assis par terre pendant que sa femme agonise. Elle expire sous son regard alors qu'un chirurgien tente de l'amputer à hauteur de la cuisse. Il décrit cette similitude entre la mort de son amoureuse et la guerre dans un livre « jamais achevé et introuvable », selon le philosophe Frédéric Pagès.

Sa désespérance est grande et non traitée. Il se met à boire, puis il lit les écrits de Freud et se rattache aux discours philosophiques, mais cela n'apaise en rien ses cauchemars et ses crises d'angoisse aiguës qui lui font voir des cadavres partout. Il évite tous les quartiers de Paris où se trouve un cimetière. Au sortir de la Seconde Guerre mondiale, il signe plusieurs écrits pour soutenir la création de la Sécurité sociale et les textes de loi la définissant.

Il décide de revenir sur ses terres natales des Corbières. L'été 1947 est particulièrement beau et doux. Il lutte contre sa mélancolie en se promenant dans les chemins et forêts domaniales de Castillon ou de Ternes. Le 9 août, il part en fin de matinée pour une grande marche avec son sac contenant deux bouteilles de vin et un gros saucisson. Mais l'alerte n'est donnée aux gendarmes que le 11 août ; tout le monde dans le pays connaît le goût de Botul pour les longues randonnées. Une battue est organisée n'importe comment et avec peu de moyens. Chemins, coteaux et fossés sont fouillés, mais de manière désordonnée. Le brigadier de gendarmerie, un ivrogne notoire plus connu pour ses chutes de cheval que pour ses exploits d'enquêteur, ne demande des renforts que le 13 août. Les journaux nationaux relatent la disparition de Botul mais aucune inquiétude ne submerge la population locale.

Pendant ce temps, le philosophe agonise dans des souffrances atroces. Il a voulu escalader un petit rocher en haut d'un vallon afin de « trouver la paix pour méditer sur le sens du temps », ainsi qu'on le retrouvera noté dans son petit carnet. Il a fait une chute. La jambe droite, brisée au niveau du genou, fait un angle droit avec la cuisse, et a une plaie béante. Il a entraîné dans sa chute des pierres de cette roche si solide, enfonçant une partie de son thorax droit. Il a dû perdre connaissance en raison du traumatisme crânien. Mais Botul a son carnet, alors il se met à écrire son agonie avec son lyrisme bien connu. En reprenant connaissance, il « baigne dans une flaque de [son] sang » et sa « soif est épouvantable », à cause de l'hémorragie. La nuit, il entend des bestioles rôder et il les décrit comme des « fantômes de mes peurs enfouies », ou il se croit dans les tranchées de la Grande Guerre avec « ces soldats morts dans la bataille qui viennent me chercher ». Seule la rosée du matin lui permet de se sentir mieux. Il voit deux sangliers s'approcher, des rongeurs aussi, des insectes lui grimper dessus mais impossible de crier ou d'appeler en raison de l'enfoncement de ses côtes fracturées à gauche, « qui dessine une sorte de S sur ma poitrine ». Sauf au moment où il hurle en repérant un lièvre qui le dévisage d'un air de lapin. Les animaux semblent se marrer lorsqu'ils voient un homme dans une posture ridicule dans la nature ! Il a peur, mais ne perd pas espoir.

Au quatrième jour, il réussit à redresser sa jambe droite dans un cri avant de s'évanouir. Quand il se réveille, il pense à Kant dans son essai des maladies de la tête, « ce qu'on fait contre la grâce de la nature, on le fait toujours très mal », et estime que « ces propos sont sans réalisme, notamment lors d'une fracture en pleine nature ». Il se hisse pour s'asseoir le long de la paroi et, avec le verre de sa montre, fait des reflets.

Un pâtre voit au loin les éclairs. Il faut plus de douze heures pour le localiser. Mais en arrivant telle une lourde mêlée au sommet de la colline, les chevaux des gendarmes, les hommes, les chiens et les charrues provoquent un éboulement qui enterre immédiatement Botul. Tous se taisent. Enterré, mais où ? Il faut une journée de travail pour déblayer un morceau de son corps. Dans sa main serrée, son carnet relatant sa fin. Ses derniers mots sont : « Manquerait plus que tout se casse la gueu... » L'éboulement a sectionné son corps, et, malgré les recherches, les membres inférieurs et le bassin de Botul sont restés dans la montagne. Une autopsie a été réalisée, montrant que le philosophe avait un foie d'alcoolique, un gros cœur, toutes les côtes du côté gauche fracturées, une rate explosée, un cerveau sans aucune lésion.

Afin de ne pas le ridiculiser, on l'enterre dans un cercueil correspondant à sa taille d'origine. L'enquête est rapidement close afin de ne pas entraîner d'émoi dans le pays. Une pétition est lancée pour faire entrer Botul au Panthéon, mais les parlementaires ne sont pas d'accord entre eux, les philosophes se demandent s'il est né Botul et d'autres s'il est bien mort. Même après sa mort, il continue d'animer de vifs débats !

Dans les Corbières, il se raconte que, certains soirs de pleine lune, on entend des cris d'agonie, mais peu de gens y croient, même si cette rumeur se colporte de génération en génération. D'autres prétendent que le dahu ne serait rien d'autre que le bassin et les jambes de Botul qui courent encore dans la montagne. Sûr que cette légende ferait bien rire le philosophe.

Jean-Baptiste Botul est mort à cinquante et un ans.

ANTONIN ARTAUD
L'agonie est un surréalisme

Ivry, jeudi 4 mars 1948. Il ne se passe rien dans sa
chambre de l'hôpital d'Ivry ; Artaud ne peut pas être
mort, il l'a écrit à son amie Marthe Robert le 29 mars
1946 : « En réalité, je ne suis jamais né et en vérité
je ne peux pas mourir. » Si l'agonie commençait par
nos propres réflexions sur notre mort, celle d'Artaud
aurait commencé très tôt dans l'enfance. Alors qu'il
a huit ans, sa sœur, âgée de huit mois, meurt. À dix
ans, ce mômo de Marseille manque se noyer, d'où sa
phobie de l'eau. Ses études de théologie chez les
pères maristes vont probablement être à l'origine de
ses premiers ennuis. Dans les années 1920, Antonin
Artaud est un des piliers du surréalisme, avec André
Breton et Robert Desnos. C'est une amitié aussi profonde que leurs engueulades ! Breton dira d'Artaud
que son idéal est d'« organiser des spectacles qui
pussent rivaliser en beauté avec les rafles de police » !
Dans leur univers, tout est à créer, tout ce qui l'a été
jusque-là est l'équivalent de l'âge de pierre, ils sont

des terrassiers de la pensée dans le granit du conservatisme. Le surréalisme, c'est de la création, du brutal, du violent. « Toute l'écriture est une cochonnerie », écrit Artaud dans *Le Pèse-Nerfs*.

En 1936, il part pour le Mexique afin d'atteindre l'hypothétique « théâtre absolu ». Chez les Indiens Tarahumaras, il s'initie aux rites du Soleil tout en consommant du peyotl, hallucinogène surpuissant. À Bruxelles, chez son futur beau-père, il fait une conférence et se met à argumenter sur « les effets de la masturbation chez les jésuites ». Les fiançailles sont rompues. Déjà, les pointes de délire se font sentir, mais en aucun cas elles ne mettent en cause sa vie ou celle des autres.

En septembre 1937, il se dote d'une canne hiératique qui aurait appartenu à saint Patrick. Antonin part avec sa folle pensée pour l'Irlande afin de rendre la canne à « l'admirable nation irlandaise ». Arrivé là-bas tout seul, il est inoffensif, mais il doit faire peur avec sa canne, son discours surréaliste, sa maigreur. La police irlandaise a bientôt fait de le tabasser. C'est ainsi : le fou est le plus souvent massacré par les uniformes de toutes sortes avant d'être enfermé. Il est expulsé et mis dans un bateau à destination de la France avec des fractures des côtes et totalement terrorisé. Dans le navire, il a peur lorsque deux hommes d'équipage s'approchent de lui, il se défend, croyant qu'ils l'attaquent. Battu et mis aux fers, il est mal en point. Arrivé au Havre, Antonin Artaud, alors âgé de quarante et un ans, est conduit à l'asile du coin le 29 septembre 1937. Comme personne ne comprend ses propos délirants, son allure et ses expressions surréalistes confrontés au conformisme des autorités, il est hospitalisé d'office pour hallucinations et idées de persécution. Le génie et la folie ont parfois des traits qui se ressemblent. Seul traitement d'alors : les douches glacées. Sa mère ne saura qu'au bout de trois mois où il est ! Il restera interné, mais il sera transféré à Sainte-Anne à Paris, puis à Ville-Évrard. Déjà, à cette époque, il se plaint de douleurs abdominales, mais aucun médecin ne le prend au sérieux ; comme souvent lorsqu'un malade psychiatrique exprime une souffrance physique, elle est mise sur le compte du problème psychiatrique. Il souffre et reste interné.

La guerre éclate. L'Occupation et la collaboration des Français d'extrême droite à la tête de l'État vont limiter l'accès aux soins des malades mentaux. L'administration nazie et collaboratrice de Vichy limite leurs apports à 500 kilocalories par jour, soit trois fois moins que ce qu'il faut au minimum pour vivre. Ainsi les malades mentaux sont affamés par décision politique afin d'être doucement exterminés. C'est la famine dans les asiles. La faim, la peur, tout est réuni pour rendre fou n'importe qui et le tuer. Sur le certificat d'Artaud, les psychiatres ont écrit : « Prétentions littéraires peut-être justifiées dans la limite où le délire peut servir d'inspiration. Graphorrhée. À maintenir. » Sa mère a entendu parler d'un nouveau traitement par électrochocs. D'où l'idée de Robert Desnos de le transférer en zone libre, où l'alimentation est plus facile. C'est l'asile psychiatrique de

Rodez, dirigé par le docteur Ferdière, qui le reçoit le 22 janvier 1943. « Les asiles d'aliénés sont des réceptacles de magie noire conscients et prémédités ; les médecins y favorisent la magie par leur technique irascible et stupide... S'il n'y avait pas eu de médecin il n'y aurait pas eu de malade. Car c'est par les médecins et non par les malades que la société a commencé. »

Le docteur Ferdière dira n'avoir fait que huit électrochocs. Faux. C'est à cinquante-huit reprises qu'Artaud est transformé en poteau électrique, sans anesthésie ni antalgique. Les crises d'épilepsie qui s'ensuivent ne sont traitées que par la lanière de cuir ou le bâton dans la bouche. Artaud y perdra toutes ses dents. Les conditions de vie sont austères, et la faim est permanente. Tout le reste de sa vie, il fera de la nourriture une priorité. Il aura peur de ne plus avoir à manger. À tel point qu'il répétera souvent « Avez-vous mangé ? » à ses amis, car « quand on mange ça donne envie de vivre ». Ces années à Rodez seront très intenses, passionnelles, avec son psychiatre, qui profitera de toutes leurs correspondances pour en faire des livres à la mort d'Artaud. Mais jamais ce psychiatre n'a voulu explorer les douleurs abdominales et anales de son patient.

Artaud en sort le 26 mai 1946, sous la pression d'Arthur Adamov, de Marthe Robert et de Jean Paulhan. Il est de retour avec une vitalité étonnante, il court plus qu'il ne marche, très drôle et très poli. Il joue souvent la comédie pour faire rire ses amis. Sa force étonne tout le monde. Il écrit *Van Gogh, le suicidé de la société* en quelques jours.

En octobre 1946, Artaud réussit à être logé dans la maison de santé d'Ivry. Antonin a alors un deux pièces propre et un jardinet. Il est devenu dépendant aux morphiniques en raison de ses douleurs au ventre et à l'anus, qu'il décrira dans plusieurs textes. Il est fatigué, sans doute à cause de l'anémie due aux rectorragies dont il se plaint. Ses amis le soulagent en lui apportant du laudanum et du sirop de chloral.

Les défécations étaient tellement épouvantables qu'il parlait de « la bête qui lui rongeait l'anus ». Son amie Paule Thévenin réussit à le convaincre d'aller consulter le professeur Henri Mondor, à la Salpêtrière, en février 1947. C'est sans doute le premier médecin qui va vraiment s'intéresser à Artaud et prendre en compte ses souffrances physiques. L'examen clinique et les radiographies de l'époque montreront une tumeur cancéreuse, très évoluée, du rectum. Le professeur cache la vérité à Antonin, l'autorisant à prendre autant de morphiniques qu'il veut. Il confie à Paule Thévenin la vérité sur l'énorme cancer : il ne reste à Artaud que quelques mois à vivre, avec de grandes douleurs.

Au matin du 4 mars 1948, à 8 heures, le jardinier de l'établissement qui lui apportait son petit déjeuner le découvre assis au pied de son lit, mort, a priori en essayant d'enfiler ses chaussettes. Il avait toujours dit qu'il ne mourrait pas couché. Il est mort assis dans le manteau neuf que Paule lui avait apporté quelques jours auparavant. Le cumul du cancer, de l'anémie, des métastases, des morphiniques et de la baisse de la respiration qu'ils entraînent ont sans doute arrêté Antonin au petit matin.

Pendant deux jours, ses amis proches l'ont veillé dans sa chambre pour éviter des obsèques religieuses, car il n'en voulait pas. La famille exigeait une cérémonie. Ses amis ont expliqué au curé qu'il y aurait des incidents. Il n'y a pas eu d'église. Le chemin de terre était ocre jaune, comme dans les peintures de Van Gogh. Le corbillard à cheval dans le froid, le cocher coiffé de son bicorne, tout semblait être du Artaud. Henri Thomas écrivit alors : « Cette main qui faisait signe contre la vitre, va la chercher dans le cimetière d'Ivry... Artaud dit non, dans son cercueil, aux coups de bêche. » Dans sa chambre, ses amis ont retrouvé près de lui un cahier de brouillon où il a écrit ces derniers mots : « de continuer à faire de moi cet envoûté éternel. Etc., etc. »

Antonin Artaud est mort à cinquante et un ans.

FRÉHEL

Les larmes de Paname

Paris, février 1951. Au son d'un as de l'accordéon, nous entrons dans le quartier de Pigalle. Montmartre en haut, les gares en bas, et, sous les pieds, les pavés. Un car de police secours a débarqué ses hommes en pèlerine, képi et bâton blanc. La nouvelle est partie de la rue Pigalle, remontant au Moulin-Rouge jusqu'à la place de Clichy ; les rues Frochot et Blanche ont passé la nouvelle, et la rue Lepic en a parlé à la rue des Martyrs. Les caniveaux ont commencé à ramener de la flotte comme si tout le quartier pleurait. Les pavés ont transmis le message aux music-halls, de l'Alhambra jusqu'à l'Européen, pour finir dans tout Paris comme un mauvais refrain : Fréhel est morte !

Elle est la voix de Paname et la plus populaire des artistes. Tout commence à ses dix-sept ans : Marguerite Boulc'h est très belle et chante en se faisant appeler Fréhel, pour marquer ses origines bretonnes. De cafés en bistrots, de tables en estrades, dans le quartier des Batignolles, Fréhel devient célèbre avec sa voix métallique, qui s'harmonise si bien avec l'accordéon. À la Taverne de l'Olympia, elle tombe amoureuse d'un jeune acteur : Roberty. Pas de contraception. Un polichinelle arrive qui meurt aussitôt, comme souvent à cette époque. Son gars se barre avec Damia, personnalité montante du café-concert. Fréhel a dix-neuf ans et divorce pour se remarier avec la cocaïne et l'ivresse. Elle tombe amoureuse de Maurice Chevalier, et ils vivent une aventure torride. Mais il n'aime pas la toxicomanie de Fréhel, ni sa façon de vivre son art. Il la quitte pour sa propre carrière et Mistinguett.

À vingt ans, elle entre dans une dépression sévère, avec une anxiété chronique qui s'entend dans ses chansons. À l'époque, il n'y a aucun médicament ni accès aux psychiatres, alors elle assomme ses angoisses à coups de champagne et de vin blanc. Elle chante les misères physiques, morales, sociales, avec des tonalités en mineur et bémol : l'amour, les michetons et les gigolos, les filles de rue, les cocus, les bals musettes... Et ça colle à l'air du temps, ravagé par la crise de 1929. Elle n'hésite pas à chanter : « Je prends de la coco, ça trouble mon cerveau. L'esprit s'envole, je deviens folle. » Ode à la cocaïne et à la folie qu'elle engendre. La chnouf est déjà présente dans Paris et fait des ravages.

Elle remonte sur les planches à l'Olympia à trente-deux ans. L'alcoolisme a changé sa beauté en obésité, son teint a viré au jaune-gris et son faciès est devenu lunaire. Elle ne voit pas de médecin, car cela coûte très cher, et il n'y a pas encore de Sécurité sociale.

En 1936, le Front populaire donne une dernière bouffée d'air de liberté et de fraternité avant que la guerre ne transforme la couleur et les bruits de Paris en vert-de-gris. Tout le peuple chante Fréhel en picolant, le dimanche, jour de guinche, le long des zincs. À l'arrière des cafés, sur des estrades, des musiciens, bons ou mauvais, enchaînent javas et valses musettes qui font tourner les têtes. Places de Clichy, Blanche et Pigalle, ça roule les *r* et ça remue du popotin. Fréhel est la plus populaire. Un jour, aux Six Jours du Vél'd'Hiv, elle avait mis son célèbre gros diamant que la reine de Roumanie lui avait donné en rentrant de ribouldingue. Dans le vélodrome, un gars hurla : « Hé, fais voir ton caillou ! » Fréhel se leva et passa son bijou à son voisin. Son précieux diamant fit le tour du public avant de lui revenir en main propre...

Mais la solitude s'invite bien souvent à sa table. Elle tient plus d'un comptoir jusqu'à la fermeture, et son foie est une distillerie. L'alimentation est salée et grasse, et le pinard est là, comme le « gris » bien goudronné qu'elle fume en permanence avec élégance. En 1938, la déchéance et la misère la poussent à chanter seule sur des tréteaux à la foire du Trône. Le peuple vient la voir et l'écoute en reprenant en chœur ses chansons. Un type la sort de là : le jeune Paul Beuscher, éditeur et marchand de musique.

Mais la guerre éclate et Fréhel s'engage, avec comme arme ses chansons. Pas question pour elle de laisser les gars se faire trucider seuls. La guerre est en résonance avec son propre désespoir. Elle va chanter dans les tranchées, les hôpitaux, elle devient marraine du 265ᵉ régiment d'infanterie ! Puis arrive la débâcle de juin 1940, les ruines, les morts et la débandade de l'armée française... Fréhel ne collabore pas, mais elle remonte sur les planches à l'Alhambra pour faire son métier et soutenir le public. Elle manque même de mourir sous un bombardement lors d'une visite dans les camps de prisonniers des nazis et elle est gravement brûlée.

Sans aucun traitement, ses problèmes de santé s'aggravent dès 1946. Sa misère est rythmée par ses prestations dans les music-halls de son quartier de Montmartre. Elle marche difficilement et grossit beaucoup, sans doute à cause d'insuffisances hépatique et cardiaque, elle souffre d'ascite, d'œdèmes... Elle fume toujours malgré son insuffisance respiratoire, séquelle de ses brûlures. Elle continue de picoler et ne suit aucun régime.

Habillée d'un tablier rouge sur une robe à fleurs, les cheveux mal décolorés et décoiffés, elle reste des heures, ivre, aux comptoirs des cafés. Parfois, elle rencontre ses ex-amants : « T'es beau comme un litre », leur lance-t-elle... Les malfrats de Pigalle, les Buisson et compagnie, l'ont à la bonne. Cette pègre avait ses noblesses. Ils avaient « cloché » (mis à l'amende) Maurice Chevalier : il devait envoyer chaque mois une enveloppe pour aider Fréhel. D'ailleurs, personne n'importunait madame Fréhel !

Elle n'habitait pas le quartier Pigalle mais c'est Pigalle qui habitait chez elle tant elle représentait et incarnait ce côté de Montmartre. De toute façon, dès

192

qu'elle se met à chanter, tout le monde est encore capté par sa voix et sa présence. Une danseuse raconte dans *Ici Paris* : « Un après-midi de 1948, au métro Anvers, je suis tombée en arrêt devant une femme affaissée au pied d'un arbre. Un car de police s'est bientôt arrêté pour embarquer cette pocharde. Elle leur a hurlé : "Foutez-moi la paix, je suis Fréhel, oui, Fréhel, la chanteuse." Alors, les mains sur les hanches, les jambes écartées, dessoûlée comme par enchantement, elle a chanté « La java bleue »... Aussitôt, les badauds se sont pressés autour... Le panier à salade est reparti à vide. »

Les dents gâtées, la cloison du nez affaissée à force de renifler de la cocaïne, sans aucun traitement, son corps bascule dans une agonie lente et terrible. Nous sommes en 1950. Le comédien Jacques Destoop, lorsqu'il rentre chez lui, rue Pigalle, passe au Bougnat, le café préféré de la grande dame. Au comptoir, coiffée parfois d'un béret de marin, ivre, dans un peignoir oriental avec de grosses fleurs et des charentaises aux pieds, Fréhel est là. Alors, chaque soir, il l'aide à marcher jusqu'au troisième étage de l'hôtel de passe du 45 de la rue Pigalle. Elle vit dans une chambre à l'odeur de caveau et de solitude.

Parfois, on lui demande de chanter, mais « c'est fini, je vous ai tout chanté », répond-elle les larmes aux yeux. Un soir, pourtant, elle monte sur une scène pour interpréter « Où sont-ils donc ? » Mais sa mémoire flanche au premier couplet et c'est le public qui finit la chanson. « Ah, heureusement que vous êtes là...

Mais attention, j'étais là avant vous, et c'est pour ça que vous la connaissez ! »

Sans aucun médecin, c'est son ami le bougnat qui lui tient la main dans la nuit du 3 février 1951. Une nuit très froide. Elle agonise sans oxygène, suffoquant sans doute d'un œdème du poumon et d'un infarctus du myocarde, et s'éteint au petit matin, d'une chanson d'amour.

Son cercueil est déposé dans la terre du cimetière de Pantin. Il paraît que certaines nuits, ça guinche terrible entre squelettes, mais impossible de vérifier...

Fréhel est morte à cinquante-neuf ans.

JOSEPH STALINE
Torturé par lui-même

Kountsevo, 28 février 1953. Beria, chef de la sécurité personnelle de Staline, Malenkov, secrétaire du Comité central, Khrouchtchev et Boulganine, membres du bureau du parti communiste, se rendent dans la datcha du chef de l'URSS. Ils ont tous peur de Staline, qui est en pleine paranoïa. Il fait assassiner ses proches au moindre doute, comme le 13 janvier 1953, où il a fait accuser ses neuf médecins de « complot des blouses blanches » visant à vouloir assassiner des chefs militaires soviétiques pour le compte de « l'organisation nationaliste juive bour-geoise américaine » (six de ces médecins étaient juifs) alors qu'ils le soignaient pour son hypertension arté-rielle. Soi-disant, ils ont tenté de l'empoisonner. Toutes les huiles de la propagande assistent au procès. Cela donne le prétexte d'une purge, ces fameuses purges qui permettent à Staline d'assassiner tous ceux qui le gênent, semblent le menacer. Les médecins arrêtés sont torturés, battus... et bien évidemment avouent tout ! Ils seront tous exécutés. C'est sa tactique de l'assassinat en nombre, comme lors des purges de 1936 et 1938. Il réorganise totalement l'appareil du parti et renouvelle tous ses proches. Par ailleurs, en ce début d'année 1953, Staline prépare la déportation de près de trois millions de personnes, dont une bonne partie de Juifs soviétiques. La mort est partout autour de lui.

Le repas dans la datcha se passe bien, dans le style parano-plat-dessert-vodka-peur. Staline choisit aussi personnellement ses domestiques, ses cuisiniers et ses gardes. Régulièrement, il les fait tuer et en prend d'autres ! Il ne mange et ne boit jamais le premier, dans la hantise d'un empoisonnement. Tout est contrôlé en permanence. Autour de la table, les convives ont tous un peu la trouille car Staline est imprévisible dans son délire. Vers 3 heures, il donne congé à ses invités et monte se coucher dans une des sept chambres aux portes blindées, toutes identiques à l'extérieur comme à l'intérieur. Personne ne sait dans laquelle il dort, et il y a interdiction formelle d'y entrer. Quiconque ne respecterait pas cet ordre serait exécuté immédiatement, alors personne ne s'inquiète quand le dimanche matin il ne se lève pas.

Il est midi, les gardes s'étonnent de ne pas le voir dans son bureau comme à son habitude. Mais ils ne bougent pas, car les ordres sont de ne jamais le déranger, sous aucun prétexte. Aucun n'a envie d'aller aux nouvelles de peur de se prendre une balle dans la nuque aussi vite que la porte sera ouverte. Vers 18 h 30, personne n'a toujours vu le dictateur.

Pourtant, comme tout pervers, il respecte d'ordinaire ses horaires avec une précision obsessionnelle. De plus, en ce dimanche où le peuple vote pour les soviets locaux, il devrait être là. Le temps passe, les gardes sont de plus en plus inquiets, mais aucun ne se risque à aller voir ce qui se passe. 23 h 30, le courrier du Kremlin arrive. C'est l'intendant adjoint de la villa qui prend le paquet. Enfin un bon prétexte pour oser entrer dans la chambre du « petit père des peuples » ! Après avoir poussé plusieurs portes qui ouvrent sur des chambres vides, l'intendant le découvre dans l'une d'elles, habillé, allongé par terre, sur le tapis, près d'une table, sur le ventre et le bras « bizarrement tordu ». Il est conscient mais il ne parle plus, et sa curieuse position est typique des comas neurologiques.

L'accident vasculaire cérébral a été hémorragique et l'a sidéré avant qu'il ne tombe. Plus de vingt heures que Staline gît par terre sans bouger, avec le mal de tête, le déficit moteur, le froid. De plus, comme son corps ne bouge plus, cela entraîne une compression des muscles qui engendre souvent une insuffisance rénale aiguë et des désordres hydro-électrolytiques majeurs. Et comme son hypothermie aggrave tout, c'est normalement une urgence extrême. Les gardes arrivent en courant, hésitent, puis le portent sur le divan, le recouvrent d'un plaid et... s'en vont sans demander leur reste, le laissant seul. Que faire ?

L'un d'eux téléphone à Malenkov, le secrétaire du Comité central, qui se rend sur place avec Beria, sans

197

médecins ni secours. Ils roulent très doucement et arrivent vers 15 heures. Staline est toujours seul sous un plaid, sans aucun soin. Et pour cause : tout le monde a la trouille de le soigner et de finir assassiné aussitôt ! Les nouveaux venus pénètrent dans la chambre et se demandent comment agir, car il n'y a plus de médecin. Sans oxygène ni perfusion, la mort envahit Staline lentement et douloureusement. Ils referment la porte et décident d'attendre, laissant le mourant sous sa couverture...

Le 2 mars, à 7 h 30, Khrouchtchev arrive avec des médecins. Tous se renvoient la balle – tous ont en tête le « complot des blouses blanches » et la liquidation des neuf médecins personnels du dictateur. Vous imaginez le dialogue : « C'est toi le spécialiste. – Ah non ! Toi. – Oh non, à toi, te dis-je, moi je sais pas où est la tête. » La sueur au front, la peur au ventre et la culotte sans doute plus très propre, les mains tremblantes, ils finissent par examiner le « petit père des peuples ». Il présente un déficit moteur du côté droit, une pression artérielle à 190/110, une fréquence cardiaque à 78. Sans oublier une hépatomégalie pouvant évoquer soit une cirrhose alcoolique, soit une insuffisance cardiaque associée. Bien entendu, les médecins pensent à une hémorragie méningée et aussi à un empoisonnement, mais il n'existe aucune preuve, et la symptomatologie semble sans équivoque.

À cette époque, il n'y a pas grand-chose à faire pour soigner les accidents vasculaires cérébraux, le plus souvent dus à une hypertension artérielle. Staline ne surveillait plus sa pression artérielle, il ne prenait plus ses médicaments, persuadé que ses médecins ne cherchaient qu'à l'empoisonner.

Les docteurs se donnent alors du temps pour réfléchir, car le sauver signera leur mort à coup sûr. Mais s'ils ne le sauvent pas, ils seront sans doute aussi assassinés... Alors ? Alors Staline est laissé dans sa datcha. Personne ne demande ni même ne suggère de le transporter à l'hôpital. On lui injecte du camphre, ce qui ne sert à rien, mais c'est le traitement de l'époque. On lui met des sangsues sur le corps, toujours dans l'idée de diminuer la tension artérielle en enlevant du volume sanguin. Pas bête dans la science-fiction. Mais ça ne change rien sur les artères du cerveau, qui continuent de couler en une hémorragie cataclysmique. On lui pose un respirateur artificiel, sans sédation ni antalgique. Imaginez le calvaire de Staline... ou plutôt la vengeance des millions de morts qu'il a faits. Comme une ultime ironie du sort, il agonise dans les pires conditions, à l'image de toutes celles et ceux qu'il a fait torturer ou exécuter.

Pendant trois jours, les médecins restent dans ce huis clos avec le dictateur en train de mourir, ne bougeant que vaguement les lèvres, « ouvrant par moments les yeux », essayant de respirer comme pour happer l'oxygène.

Son visage gonfle, comme son corps, car faute d'être correctement hydraté, il se détruit lentement. « Parfois il remue les lèvres sur son tuyau d'intubation », mais personne ne tente quoi que ce soit. Tous savent que, pour sauver leurs vies, il vaut quand même mieux qu'il meure. Alors tout le monde attend, réfléchit. Les médecins prennent leur temps, se consultent, lisent...

Le 4 mars au matin, le dictateur vomit du sang, ce qui peut évoquer l'hyperpression intracrânienne à cause de l'hémorragie, ou la rupture de varices œsophagiennes, typique chez les alcooliques, ou un ulcère gastrique rompu, ou un désordre gravissime de la coagulation. Les médecins ne sont pas dupes, la fin est proche. Vers 20 heures, il est en sueur, car la respiration ne fonctionne plus. Il est plus ou moins conscient.

Progressivement, sa couleur de peau change, passant du blanc livide au violet. Probablement une pneumopathie d'inhalation a-t-elle compliqué son cas. Il est assez fréquent dans ces accidents vasculaires cérébraux que le patient vomisse dans ses poumons. Il s'ensuit de terribles infections pulmonaires.

Chaque fois, la porte est refermée pour le laisser seul. Le 5 au matin, le Petit Père des peuples respire très mal, sa fréquence cardiaque chute et personne ne la retient. Un médecin fait encore une piqûre, pour la route en quelque sorte... L'effet est nul. Il finit par chercher l'air comme un poisson sorti de l'eau. Staline meurt à 21 h 50, dans des conditions effroyables. Beria commence aussitôt à détruire le stalinisme, en amnistiant une partie des prisonniers politiques détenus au goulag. Plus tard, il réhabilitera les neuf médecins victimes du faux « complot des blouses blanches ».

200

Immédiatement, un embaumeur se présente et récupère le corps en cachette afin de le préparer.

La dépouille de Staline est mise à côté de celle de Lénine dans le mausolée de la place Rouge, à Moscou. Mais, en octobre 1961, le congrès du Parti communiste russe décide d'expulser le cadavre de Staline du mausolée, car il est devenu blasphématoire à la cause du peuple. L'histoire commence à faire son travail sur ce passé épouvantable.

Staline est mort à soixante-quatorze ans.

LAUREL ET HARDY
Le sourire et le rire comme philosophie

États-Unis, milieu du XXe siècle. Côté jardin, l'écran du cinéma comique s'éteint le 7 août 1957 à Hollywood : Oliver Norvell Hardy est mort. Côté cour, il s'effondre le 23 février 1965 à Santa Monica : Arthur Stanley Jefferson, usuellement appelé Stan Laurel, n'est plus. Ils sont, avec Chaplin et Buster Keaton, des génies et les créateurs de l'humour au cinéma. Ce couple d'humoristes est le plus célèbre et le plus universel de l'histoire du septième art. Beaucoup de rumeurs courent sur eux... En plus de la culture qu'ils ont engendrée, ils ont eu des vies sublimes, qui invitent à vivre ses passions et à aimer les clowns, les acteurs, le cinéma, et à ne pas les oublier.

Laurel et Hardy, c'est plus de cent comédies, deux noms parmi les plus connus de la planète et des personnages intemporels. Regardez le court-métrage *Livreurs, sachez livrer* : il arrachera au moins un sourire même au plus grand des dépressifs !

Oliver Hardy est américain, né à Harlem. À quinze ans, il pèse cent kilos. Tout le monde l'appelle « Babe », personne ne l'aide à prendre en charge son obésité, qu'il n'acceptera jamais. Est-ce dû à la mort de son père, lorsqu'il avait deux ans ? Il ira jusqu'à mettre ce « Babe » sur ses premières affiches lors de ses débuts au cinéma. À dix-huit ans, il travaille dans un cinéma de quartier, où il gère presque tout. Il regarde tous les courts-métrages avec assiduité.

Stan est anglais, né à Ulverston. Très jeune, il veut être comme son père, acteur. Il entre dans une troupe de théâtre et quitte l'Angleterre pour faire une tournée aux États-Unis d'Amérique. Un certain Charlie Chaplin fait partie de la troupe et Stan est sa doublure. Lorsque Charlot devient star, il quitte la troupe et, sans cette tête d'affiche, la tournée s'arrête. Ils se retrouvent tous sans travail et à la rue. Alors Stan Laurel rebondit et monte sa propre troupe, puis très vite passe au cinéma où il commence sa carrière à la fois comme auteur, scénariste et acteur.

Devenu acteur lui aussi, Oliver Hardy reste dans des rôles de crapule mais son jeu est repéré par les producteurs de cinéma. Il ne se consacre pas qu'au cinéma, il aime aussi le golf et les courses de chevaux. Et c'est un garçon lucide : « Il n'y a pas plus idiot qu'un idiot qui se croit intelligent », déclare-t-il. Oliver se marie une première fois, en 1913, avec une pianiste, qu'il quitte en 1920. C'est l'année où il rencontre Stan Laurel sur un tournage, chacun son rôle mais des vies qui semblent déjà bien similaires :

deux épicuriens, aimant le cinéma et les femmes (ils auront des mariages et des divorces nombreux).

De son côté, Laurel est marié avec une femme très jalouse et qui a toutes les raisons de l'être, tant il est séducteur. Stan n'est pas très heureux avec elle, il boit beaucoup pour oublier ses problèmes de couple. D'où le diagnostic d'alcoolique posé sur lui, même s'il n'a pas du tout la déchéance de l'alcoolisme, le sien semblant plus festif et occasionnel que pathologique.

Oliver, lui, mange et boit beaucoup, comme sa seconde femme, qui picole trop, et avec qui il restera jusqu'en 1937. Il tente de maigrir mais il n'y arrive pas. Il souffre d'être gros mais son allure et son rôle sont ainsi. Il devient le meilleur golfeur d'Hollywood. Il joue toujours aussi beaucoup aux courses, ce qui ne plaît pas trop à sa femme. D'où sa légende d'un homme qui ne ferait que jouer, boire et qui perdrait tout aux courses. Là encore la légende est fausse : il construit sa vie, fait des excès mais sous contrôle, et ne sombre jamais dans la faillite provoquée par un goût démesuré du jeu.

En 1925, le producteur Hal Roach signe séparément Stan Laurel et Oliver Hardy. Ce sera le point de départ du duo. Les contrats ne sont pas à leur avantage mais ils sont heureux et font du cinéma. En coulisse, Stan, auteur et acteur qui vient de se séparer de sa femme difficile, est le génie créateur.

En 1926, Oliver est victime d'un accident. En préparant un gigot d'agneau, il se brûle le bras droit puis glisse et, en tombant, il se fracture la jambe. Même son problème de santé est un gag. C'est Laurel qui le remplace. À son retour, ils sont mis ensemble devant la caméra. La naissance de ce couple mythique est due à un gigot d'agneau ! Un Américain et un Anglais, un gros et un petit. Leur style est créé avec un costume trop étroit pour le grand et trop large pour le petit, et un chapeau melon trop grand pour le petit et trop étroit pour le gros. À l'époque, c'est révolutionnaire. Leur jeu est une trouvaille d'humour, avec le stoïcisme d'Oliver Hardy quoi que fasse Stan Laurel. Les films connaissent un succès énorme et ils sont très heureux. Laurel est un acharné de travail. Il vérifie tout, écrit tout, reste tout le temps au cinéma. Il admire Hardy et ils sont très respectueux l'un envers l'autre. Oliver, lui, est drôle et, après les journées de tournage, il part jouer au golf. Il n'y a aucun conflit entre eux, mais plutôt une grande connivence et complémentarité. Stan Laurel invente l'effet du *double take and fade away* : voir une première fois un élément perturbateur sans le relever, faire comme si de rien n'était et avancer, puis subitement percuter et revenir sur ses pas pour regarder l'objet une seconde fois et réagir de la façon appropriée. Oliver invente le tripatouillage de cravate.

Leur principal souci est leur relation avec les femmes. Oliver souffre de l'alcoolisme de sa femme. Stan quitte son épouse pour en reprendre une autre... Stan aime les jolies filles et on lui présente Lois. Ils auront deux enfants, une fille et un garçon, qui meurt à neuf jours, de la mort subite du nourrisson. Laurel en est très affecté, mais continue à travailler. Hardy et lui sont inséparables et très amis.

Ils choisissent le chant du coucou comme musique. Le producteur fait des versions étrangères et donc plusieurs versions sont tournées : en allemand, en espagnol, en français... Ce sont leurs vraies voix que vous entendez sur les versions très anciennes.

En juillet 1932, ils font un voyage en Europe, commençant par l'Angleterre, où Stan n'était jamais retourné. Ils sont reçus avec un enthousiasme qui les surprend, y compris en France où leur succès est incroyable pour l'époque.

Leur retour en Amérique est marqué par la brouille avec leur producteur, qui ne veut plus faire de courts-métrages. Mais il les tient par contrat, alors ils restent. Ils ont des cachets mais aucun intéressement, ce qui explique qu'ils vivront bien mais pas comme on pourrait l'imaginer pour des stars aussi connues et universelles, des superstars pour l'époque.

Hardy perd beaucoup aux courses. Laurel va au bistrot et boit beaucoup. Depuis la mort de son fils, son couple vacille. « Un coureur de jupons, dit-il, c'est un homme qui fait quelque chose jusqu'à ce qu'il trouve ce qu'il cherche. » Il divorce en 1935 et se remarie tout de suite. Il se mariera cinq fois avec ses quatre femmes, dont deux fois avec la deuxième. Jamais seul. Hardy, lui, divorce en 1937 et épouse sa scripte. Ils resteront ensemble jusqu'à la fin.

En 1940, le duo quitte le studio d'Hal Roach pour avoir plus de liberté artistique et d'argent. Mais, sans propositions, ils font une tournée dans les grandes villes américaines où leurs sketchs rencontrent un succès monstre. La guerre fait rage et ils vont soutenir les troupes. Avec vingt-deux autres stars, ils forment la « Hollywood Victory Caravan », jouant dans les villes américaines afin de collecter des fonds pour aider à l'effort de guerre.

Ils tournent huit comédies pour la Fox et la MGM. Mais les scénarios qui arrivent ne sont pas bons et les producteurs leur imposent trop de choses. Leurs conditions de travail sont épouvantables et ils ne sont pas très bien payés. Stan rompt avec eux.

En février 1947 débute une grande tournée en Europe. Ils commencent par l'Angleterre : Laurel et Hardy en chair et en os, avec des gags tout au long du spectacle. Partout où ils passent, les salles sont pleines et ils sont reçus comme des chefs d'État.

En France, ils sont accueillis en héros. Le duo passe onze mois en Europe. Suite à ce triomphe, en 1950, arrive une proposition européenne par une production franco-italienne. Ce sera leur dernier film, qui sera tourné à Marseille. Mais les acteurs français, italiens et anglais ne fonctionnent pas ensemble... et le film est long à faire.

Malgré toutes ces difficultés, Laurel et Hardy sont toujours aussi amis, fidèles et proches. Malheureusement, l'état de santé de Hardy se complique avec une hypertension artérielle et des douleurs thoraciques d'angine de poitrine. Stan, lui, souffre du ventre et d'une très grande fatigue, et il maigrit. Il est opéré de la prostate à l'Hôpital américain de Paris, opération dont il se remet doucement. Sans doute un adénome de la prostate.

Installé à l'hôtel, Hardy reçoit quantité de cadeaux, principalement des bouteilles de vin. Sa chambre est remplie de caisses de vin jusque sur le balcon ! Laurel et Hardy se plaisent à Paris ; ils y restent.

En avril 1951, ils finissent difficilement ce dernier film. Le tournage a été trop long, très dur, mais *Atoll K* est un succès planétaire. Leur état de santé s'aggrave, mais leur volonté est intacte et ils continuent de travailler beaucoup. En 1952, ils repartent en Angleterre pour une autre tournée.

En janvier 1954, Hardy fait un infarctus du myocarde à Londres. Il est hospitalisé mais les traitements ne sont pas ceux d'aujourd'hui. Les deux compères finissent par rentrer aux États-Unis. Oliver Hardy a des douleurs dans la poitrine. Son obésité, sans doute un taux de cholestérol trop élevé, et son tabagisme constituent des facteurs de risque qui expliquent son infarctus du myocarde. Les médecins américains le mettent à un régime strict et le surveillent de très près. Il perd soixante-quinze kilos, soit le poids de Stan Laurel. C'est beaucoup, mais c'était le seul traitement à l'époque. Le repos, le régime.

Quelques mois après Hardy, c'est Laurel qui tombe malade, le 25 avril 1954. Il fait un accident vasculaire cérébral sans coma, probablement ischémique. Il en gardera un déficit moteur de tout son côté gauche. Mais il continue de fumer car, à l'époque, les dangers du tabac ne sont pas encore démontrés.

Malgré tout, les deux compères se voient souvent, restent très proches, continuent de rire et de faire leurs gags. Oliver vit paisiblement, entouré de sa dernière épouse, en surveillant son régime et sans faire aucun effort. Il se bat comme il peut contre cette maladie cardiovasculaire. Mais il fait une grave attaque cérébrale et les médecins ne peuvent rien contre cela. Stan Laurel l'accompagne pendant des mois. Après deux autres AVC et une agonie dans son lit, il meurt en s'endormant paisiblement chez lui, sans doute sans souffrance, et entouré des siens le 7 août 1957. Il est inhumé dans un petit cimetière de Los Angeles.

Stan Laurel est bouleversé. Il se retire du show-business. Comment continuer de jouer sans Oliver ? Il s'installe dans un bel hôtel de Santa Monica avec sa dernière femme. Stan aimait vivre à l'hôtel. Il n'a pas beaucoup d'argent, il ne touche rien sur ses films qui passent partout et sur toutes les télés. Il n'est pas riche, mais il vit bien et a des revenus de ses placements anciens. Il n'est pas pauvre, et plutôt bienveillant avec ses proches et ses admirateurs qu'il reçoit : il répond lui-même au courrier de ses fans. Et il continue de fumer.

Nombre de célébrités viennent le voir et parler avec lui. Il n'est absolument pas seul. En 1961, il reçoit un oscar qu'il considère comme une consécration de son duo avec Hardy. Ce dernier ne le quitte pas, mais il n'est pas désespéré. Toujours à rire et à être heureux avec les siens, malgré son handicap du côté gauche. Il prévient : « Celui qui pleure à mon enterrement, je lui parlerai plus jamais ! » En février 1965, son état de santé se détériore, il souffre d'une grosse infection pulmonaire. Il reste au lit. Il a aussi une maladie cardiovasculaire. Le 23 février 1965, il

210

meurt sans doute d'un infarctus massif, ou d'une embolie pulmonaire massive, car il fait un arrêt cardiaque dans son hôtel. Il était entouré par sa femme et ses proches.

Laurel et Hardy ont vécu pour la comédie, portant le rire partout et tout le temps. Plus que des acteurs, ils ont été une façon de vivre et de s'adapter, sans lâcher l'humour et le cinéma. Nous devons tous quelque chose à ces deux génies, dans le déclenchement du rire et la modernité de leur humour.

Leurs tombes sont dans deux cimetières différents mais, pour l'histoire, ils sont inséparables et sont morts après une vie de rires et de bonheur.

Laurel et Hardy sont morts à soixante-quinze et soixante-cinq ans.

WINSTON CHURCHILL
The man with his « black dog »

Londres, 24 janvier 1965. La nouvelle tombe comme si le soleil s'éteignait : « Winnie » est mort. Le deuil submerge la Grande-Bretagne, l'Europe et tous les pays libres. Churchill a fait la guerre que beaucoup voyaient perdue, il s'est levé lorsque les autres se couchaient, il a parlé alors que d'autres se taisaient. Avec son zézaiement, ses soixante-cinq ans en 1940, sa silhouette massive, il aurait pu avoir toutes les apparences d'un antihéros, or c'est lui qui a écrasé les assassins de l'humanité. Lui qui a vécu avec une intelligence hors du commun, ses peintures, ses lectures, ses écrits (il sera Prix Nobel de littérature en 1953), son humour, sans oublier ses cigares, cognac, whisky et champagne ! Winston Churchill *est* l'Angleterre. Ce jour de janvier est un jour de désespérance pour tout un peuple qui sait ce qu'il doit à cet homme.

En plus d'une vie politique, militaire et sociale très engagée, toute sa vie il s'est battu contre deux maux : l'un cardiovasculaire, l'autre maniaco-dépressif. En décembre 1941, alors qu'il est à la Maison-Blanche, en pleines négociations politiques et de stratégie militaire sur la guerre mondiale qui fait rage et tue l'Europe, il fait un infarctus du myocarde. D'aucuns auraient tout arrêté : lui, non ! Un peu de repos, les bons soins des médecins américains et il repart.

« Jamais la fin » et pas de repos, mais des cigares et du champagne ! Ses épisodes de dépression sont douloureux, avec des manifestations psychosomatiques, des insomnies, des angoisses atroces et invalidantes... À cette époque, il n'y a pas d'antidépresseurs, alors Winston tient avec ses habitudes alimentaires, il continue de fumer, de manger, et il boit, car l'alcool est un anxiolytique. Son célèbre « *no sport, never, but whisky and cigares* » a ridiculisé plus d'une recommandation médicale. Il nomme ses périodes de dépression « *the black dog* ». Il vit avec ce chien noir, et l'évite par le silence, le sommeil, ses alcools préférés et ses cigares. Paradoxalement, sa maladie l'a peut-être aidé dans la guerre, en l'obligeant à aller au-delà de ses propres maux pour sortir son pays du chaos. Alors que tout aurait pu le pousser à renoncer, à arrêter ou à se suicider, il se bat, reste sous les bombes nazies, et travaille avec une force sans pareille. Pendant le Blitz, lors des alertes, il descend dans son abri souterrain, à quelques pas de Buckingham Palace. Les jours de grande déprime, il reste au lit ; tous les autres jours, il travaille très tard. Il mange, il travaille, il dirige, il se bat comme un lion et ne lâche rien. Chaque jour est un recommencement. Jusqu'à la victoire. Chaque fois il va malgré les risques sur le terrain des opérations. Cet homme âgé, cardiaque, dépressif, a sauvé l'Europe et détruit le nazisme. Il est le début de la construction moderne de l'Europe.

Au sortir de la guerre, il perd les élections et retrouve le *black dog* : « À mon âge [soixante et onze ans], il ne saurait être question d'un retour aux affaires... des pensées désespérées me viennent en tête. Je n'arrive pas à m'habituer à la pensée de ne rien faire pour le reste de ma vie ; il aurait mieux valu que je sois tué dans un accident d'avion ou que je meure comme Roosevelt. » Mais il redevient Premier ministre en 1951 et reprend les affaires politiques.

En 1953, à soixante-dix-huit ans, il fait un accident vasculaire cérébral dans le plus grand secret du 10, Downing Street. Il sent sa mort arriver, mais il l'affronte avec son arme fatale, l'humour : « Je pense que je mourrai rapidement après ma retraite. À quoi bon vivre quand il n'y a rien à faire ? » dit-il deux ans plus tard, quatre mois avant de démissionner du poste de Premier ministre. Il rentre alors chez lui s'occuper de ses animaux, peindre un peu, écrire beaucoup. Il voyage sur la Côte d'Azur, d'Antibes à Monaco. Il se détend au soleil, avec ses animaux, mais désespère en voyant sa perruche Toby s'envoler vers le large. Elle ne reviendra pas.

En avril 1962, il est de plus en plus sourd, marche avec difficulté. Dans sa chambre d'hôtel, il chute et se casse le col du fémur. À 7 heures, il est amené à l'hôpital de Monaco. Il est endormi et les chirurgiens vont commencer leur intervention, mais l'Angleterre gronde et refuse qu'il soit opéré là-bas. Tout est arrêté, et Churchill est réveillé. Il murmure à son secrétaire : « Souvenez-vous : je veux mourir en Angleterre. Promettez-moi que vous ferez le nécessaire. » Les médecins lui interdisent presque tout, mais l'entourage de Churchill leur explique que « ce régime est essentiel à son rétablissement ». Il fume donc toujours et boit son whisky, son cognac et beaucoup de champagne. Il quitte Monaco par un avion sanitaire de la RAF, sous des tonnerres d'applaudissements. Il est sur son brancard, fracture du col du fémur sous les bras, cigare et sourire aux lèvres, les deux doigts en « V ». Comme pour dire « C'est peut-être la fin du commencement », et il lance au consul : « Je reviendrai, mon cher, à bientôt ! »

Il est hospitalisé au Middlesex Hospital de Londres. Après l'opération, comme souvent dans ce type de fracture chez les personnes âgées, sa santé se complique d'une pneumonie, d'une phlébite, d'une hépatite, mais il s'en remet. Le lion se bat, il a eu Hitler, alors son combat individuel ne lui fait pas peur ! Huit cigares par jour, son whisky, son cognac et ses doses habituelles de champagne, et il s'en sort. Il n'est pas alcoolique : il vit. Des tonnes de fleurs lui arrivent du monde entier ; il les fait distribuer dans tout l'hôpital. Il n'est pas une star, il est plus qu'un héros ou un père, il est l'Angleterre et la force du monde libre. Il refuse de prendre les traitements, refuse les piqûres, refuse d'enlever son cigare lorsque les médecins l'auscultent et il boit son cognac devant eux. Rebelle, combattant dans l'âme jusqu'au bout, ce ne sont pas ces quelques blouses blanches qui vont lui donner des ordres !

Le 21 août 1962, il sort de l'hôpital et ce sont des milliers de Londoniens qui l'accompagnent à son domicile de Hyde Park Gate. Malgré le handicap neurologique et orthopédique, il finit par retrouver une certaine autonomie. Son courage est sans limites. Et il repart sur la Côte d'Azur, à l'hôtel de Paris, à Monaco.

En octobre 1963, un drame épouvantable le frappe : sa fille Diana se suicide. Churchill, en l'apprenant, s'enferme dans le silence : le *black dog* est de retour. Sa femme, Clementine, est hospitalisée, épuisée. Tout l'angoisse, mais il résiste et continue de lire, de travailler, d'écrire. À la foule qui se masse en toute occasion devant chez lui, il fait le V de la victoire à la fenêtre, cigare aux lèvres, comme une sorte de parade contre la mort et la tristesse.

Début janvier 1965, des épisodes de confusion et de désorientation spatio-temporelle se succèdent. Le 10 janvier 1965, il tombe dans un coma dû à un accident vasculaire cérébral hémorragique massif. Ses proches le laissent chez lui. Il luttera encore quelques jours entouré des siens, de médecins et de l'Angleterre. Tout est fait pour qu'il soit bien. Quand il se réveille un peu, personne ne lui change ses habitudes et il boit les alcools qu'il aime !

Phénomène inexplicable, il meurt après un bon whisky, le même jour, à la même heure que son père, dont il a tant parlé toute sa vie.

La Grande-Bretagne a donné au monde l'homme qui a sauvé la liberté et écrasé le nazisme et le fascisme. Nous devons tous avoir en nous quelque chose de Churchill, de cette force qui nous dit de refuser l'horrible, l'injustice, et de travailler pour être heureux. Ce soir, notre champagne sera pour sir Winston !

Churchill est mort à quatre-vingt-dix ans.

SATURNIN LE CANARD
et autres compagnons d'infortune

France, 1950. On découvre la télévision. Tout est à inventer dans cet univers en pleine naissance. Que va-t-on diffuser en plus de la propagande politique ? De la publicité ? Sûr. Des émissions de cuisine ? Oui ! Des jeux ? Ça va de soi... Du théâtre, du cinéma, de la chanson ? Évidemment. Et pour les enfants ? Des programmes spéciaux.

L'une des idées est de faire des divertissements en utilisant des animaux. Facile : pas de droits à payer, un acteur malléable et sans salaire – s'il n'est pas d'accord, un bon coup de badine, et hop, ça tourne ! Mais les agonies vont être nombreuses et dans un silence sépulcral car, à cette époque, le droit des animaux n'existe pas. Combien de chiens, de chats, de chevaux, de vaches, de poules, d'ours, d'éléphants, de singes, sont morts pour que le public trouve la scène belle à pleurer, un Daktari magnifique et les animaux si intelligents ?

Or un animal souffre, déprime, désespère, a faim et soif, comme tout être vivant. Mais ses expressions ne sont pas humaines et, lors des tournages, on ne tient aucun compte de toutes ces notions. La bête peut toujours pousser des gémissements, avoir des douleurs, des réflexes antalgiques ou de peur, peu importe. Les réalisateurs de l'époque s'en remettent à des propriétaires souvent peu scrupuleux.

Et pourtant, bien que les milieux et habitudes des animaux soient évidemment différents de ceux des hommes, les scénaristes de ces fictions ont toujours voulu assimiler leurs comportements aux comportements humains. Comme aujourd'hui sur les tournages, les stars humaines ont à l'époque droit à tous les conforts et extravagances des gens riches et craints. Les animaux, eux, ont bien souvent droit à tous les sévices. Faire sauter un cheval du haut d'une falaise pour qu'il s'écrase, le faire agoniser de soif en plein désert pour rendre une scène plus réelle, les faire tomber pour admirer leur chute lors de la charge du 7e de cavalerie, cadrée suffisamment haut pour que le spectateur ne voie pas les cordes tendues qui provoquent ces chutes. Bien sûr, le spectateur pleure en voyant le cheval s'effondrer dans la canicule du désert. Mais à la fin de la scène, l'acteur part prendre une douche... Le cheval, lui, est envoyé à l'équarrissage. Combien de chevaux sont morts dans les tout premiers westerns ?

Hue là ! Un cavalier surgit hors de la nuit ! Zorro, autrement dit le « renard », reste *le* héros pour des générations d'enfants, avec son célèbre cheval noir Tornado. Oui, mais pas simple de tourner avec les chevaux. Même si les studios y font un peu plus attention, les Tornado se succèdent et sont attachés pour faire de la belle ruade et tomber, le tout commandé par des dresseurs. Du dressage pour répéter et rendre les scènes réalistes : une méthode qui aurait pu servir à quelques acteurs afin de mieux les faire jouer, peut-être ?

Et combien d'enfants ont regardé le petit canard Saturnin ! Oh, qu'il était beau et drôle ! Un caneton sans dents ni défense, pas de griffes, juste de ridicules palmes, pas de piquants, que des plumes jaunes. Un caneton n'a aucune exigence, jamais bourré, pas de cocaïne, toujours à l'heure, pas de pute à mettre sur sa paille ! Un acteur idéal en somme, pour soixante-dix-huit épisodes dont le tournage débute en 1964. On verra Saturnin le canard dans toutes les situations, dans toutes les positions, déguisé, dans l'eau, le sable, à moto, à vélo ou en voiture... Seulement voilà, le caneton n'a pas la parole. Devant les projecteurs chauffants comme un four, le caneton cuit et meurt. D'arrêt cardiaque, de peur, d'épuisement, de déshydratation, de diarrhée. Sans compter les bruits, les mains des hommes qui lui font recommencer la scène de nombreuses fois. Et notre Saturnin de rentrer dans sa cage avec des germes qui le tuent par septicémie. Plusieurs centaines de canetons sont ainsi morts pour faire rire les petits enfants. Coût ? Nul. Combien cela a rapporté ? Des millions ! Avec lesquels les producteurs ont pu bouffer du canard.

Mais un chien aboie au loin ! Des générations entières ont pleuré aux aventures dégoulinantes du toutou, avec ses scénarios ridicules... Découvrir que

Lassie n'était pas une femelle, mais un mâle bien couillu change la vision du feuilleton. Les chiennes perdant leurs poils une fois l'an, les producteurs leur préfèrent des mâles, qui eux les gardent. Alors les réalisateurs ont sept chiens en tout point semblables, et s'ils ne le sont pas, on les teint. N'allez pas croire que cela a perturbé la sexualité des petits enfants devenus grands... Personne n'y a rien vu. Même les chiens comme Rintintin étaient une dizaine sur le tournage, dressés comme des animaux de cirque. Et eux non plus n'étaient pas à la fête. Une gamelle d'eau ou de croquettes et vous obtenez plein de choses !

Les scénaristes ne peuvent pas résister davantage à la mer et au dauphin, le célèbre ami des hommes... Ou, plus exactement, leur plus fidèle esclave. Saviez-vous que pendant la guerre, les dauphins servaient d'auxiliaires et portaient des bombes sous les navires ennemis afin que l'homme les fasse sauter avec ? Alors les dauphins se relaient pour le tournage intensif de la série. Ont-ils été reconnus ou relâchés dans la mer ensuite ? Non. Le dénommé Bébé sera le dernier des sept dauphins à avoir incarné Flipper dans la célèbre série télévisée américaine. Cette femelle est morte à l'âge de quarante ans au Seaquarium de Miami. Carrière sur le petit écran et vie dans un bocal ! Triste destin mais enrichissement garanti des producteurs.

Les Australiens ne sont pas en reste, et Skippy, « notre ami le kangourou », aide le garde forestier. Mais le garde forestier, lui, ne l'aide pas après les claps de fin. Il y a en fait un nouveau « gros rat » à chaque épisode, spécialement dompté pour décapsuler les bouteilles de bière ! Nombre de kangourous participeront à cette série, nul ne sait combien en sont morts.

De toute cette époque des débuts de la télé, il est un animal qui n'a jamais souffert : Nounours. Ben oui ! Il était si beau en noir et blanc, sur son paysage céleste créé par le talent des techniciens de l'ORTF. Lors du générique, il voyageait dans du coton en guise de nuage, posé sur un wagon de train électrique planqué derrière du contreplaqué pour faire les immeubles. Ça, c'est de l'ours ! Nounours ne s'est jamais plaint, même s'il se serait bien tapé Pimprenelle, et il n'a perdu que quelques brins de laine. C'est le seul héros des séries des années 1960 à être encore vivant.

SOURCES

DVD

Gérard Mordillat et Jérôme Prieur, *Corpus Christi*, Arte vidéo-Archipel 33, 1998.
Gérard Mordillat et Jérôme Prieur, *Artaud*, Laura productions, La Sept/Arte, Archipel 33, 1993.

Bibliographie sélective

ARTAUD, Antonin, *Nouveaux écrits de Rodez*, Gallimard, 1994.
BEEVOR, Antony, *D-Day et la bataille de Normandie*, Calmann-Lévy, 2009.
BERADIA, François, *Churchill*, Fayard, 1999.
BOREL, Vincent, *Jean-Baptiste Lully*, Actes Sud, 2008.
BOTUL, Jean-Baptiste, *Du trou au tout*, la Découverte, 2011.
BROCKLISS, Laurence, CARDWELL, John et MOSS, Michael, *Nelson's Surgeon, William Betty, Naval Medecine, and the Battle of Trafalgar*, Oxford University Press, 2005.

CARATINI, Roger, *Les Baïonnettes du 18 Brumaire*, L'Archipel, 1999.

CAROLY, Michelle, *Le Corps du Roi-Soleil*, Éditions de Paris, 1999.

CARRÈRE D'ENCAUSSE, Hélène, *Staline, l'ordre par la terreur*, Flammarion, 1998.

CHEVANDIER, Christian, *L'Hôpital dans la France du XXᵉ Siècle*, Perrin, 2009.

CLARAC, Pierre, *La Fontaine*, Seuil, 1979.

COPPENS, Bernard, *Les Mensonges de Waterloo : les manipulations de l'histoire enfin révélées*, Jourdan, 2009.

CORDIER, Daniel, *Jean Moulin : la République des catacombes*, Gallimard, 1999.

CORNETTE, Joël, *Louis XIV, Mémoires*, Le Chêne, 2007.

CRISTAU, Pierre et WEY, Raymond, *Les Hôpitaux militaires au XXᵉ siècle*, Le Cherche-Midi, 2006.

DARMON, Pierre, *La Variole, les nobles et les princes*, Éditions Complexes, 1989.

DE GRÂCE, Michel, *Louis XIV, l'envers du soleil*, Olivier Orban, 1979.

DECAUX, Alain, *Victor Hugo*, Perrin, 1995.

DEIBLER, Anatole, *Carnets d'éxécutions 1885-1939*, L'Archipel, 2004.

DEVEAUX, Michel, *Camille Claudel à Montdevergues, histoire d'un internement*, L'Harmattan, 2012.

FAUCONNIER, Bernard, *Flaubert*, Gallimard, 2012.

FULIGNI, Bruno, *Dans les archives secrètes de la police, quatre siècles d'Histoires de crimes et de faits divers*, L'Iconoclaste, 2009.

GUENO, Jean-Pierre, *Paroles du jour J*, Librio et Radio France, 2004.

GUILLEMIN, Henri, *Zola, légende et vérité*, Utovie, 1997.

HOWARTH, David, *6 juin, à l'aube*, Presses de la Cité, 1982.

KERSAUDY, François, *Winston Churchill, le pouvoir de l'imaginaire*, Tallandier, 2000.

LAGARDE et MICHARD, collection littéraire, Bordas, 2004.

LEVRALON, Jacques, *La Cour de Versailles aux XVIIᵉ et XVIIIᵉ siècles*, Hachette, 1996.

LOGIE, Jacques, *Waterloo : 18 juin 1815, de la bataille à la légende*, Napoléon Iᵉʳ Éditions, 2008.

MARIE, Jean-Jacques, *Staline*, Librio, 1995.

MICHELET, Jules, *Histoire de France, La Régence*, volume 15, Éditions des Équateurs, 2008.

MICHELET, Jules, *Histoire de France, Louis XV*, volume 16, Éditions des Équateurs, 2009.

ORIEUX, Jean, *Voltaire*, Flammarion, 1999.

PETITFILS, Jean-Christian, *L'Assassinat d'Henri IV, mystères d'un crime*, Perrin, 2009.

QUETEL, Claude, *Dictionnaire du Débarquement*, Éditions Ouest-France, 2011.

SOLNON, Jean-François, *Henri III*, Perrin, 2007.

TENON, Jacques, *Mémoires sur les hôpitaux de Paris*, Doin, 1998.

TIERCHANT, Hélène, *Henri IV Roi de Navarre et de France*, Éditions Sud-Ouest, 2010.

TUBEUF, André, *Ludwig Van Beethoven*, Actes Sud, 2009.

TULARD, Jean, *La Vie quotidienne des Français sous Napoléon*, Hachette, 1978.

WALTER, Gérard, *Maximilien de Robespierre*, Gallimard, 1989.

WENDEL, Hermann, *Danton*, Payot, 1978.

Table

Cet ouvrage a été imprimé
en mars 2013 par

FIRMIN-DIDOT

27650 Mesnil-sur-l'Estrée
N° d'édition : 52996/01
N° d'impression : 115914
Dépôt légal : mars 2013

Imprimé en France

*Cet ouvrage a été composé et mis en pages
par ÉTIANNE COMPOSITION
à Montrouge.*